상위 개념 문제 해결 연산 학습지

응용 연산

S2
6~7세

20까지의 수에서 더하기, 빼기 1과 2

Creative to Math

씨투엠

응용연산 : 상위권으로 가는 문제해결 연산 학습지

요즘 아이들은 초등학교 입학 전에 연산 문제집 한 권 정도는 풀어본 경험이 있습니다. 어릴 때부터 연산 문제를 많이 풀었기 때문에 아이들은 아직 학교에서 배우지 않은 계산 문제를 슥슥 풀어서 부모님들을 흐뭇하게 만들기도 합니다. 그런데 아이들의 연산 능력은 날로 높아지지만 수학 실력은 과거에 비해 그다지 늘지 않은 것 같습니다. 사실 진짜 수학 실력은 연산 문제나 사고력 수학 문제를 주로 푸는 초등 저학년 때는 잘 드러나지 않습니다. 응용 문제를 본격적으로 풀기 시작하는 초등 3, 4학년이 되어서야 아이의 수학 실력을 판별할 수 있습니다.

초등 수학에서 연산이 가장 중요한 것은 부정할 수 없는 사실입니다. 중학생, 고등학생이 되어서 부족한 연산 능력을 키우는 것은 거의 불가능합니다. 이러한 연산의 특수성 때문에 아이들은 어린 나이부터 연산을 반복적으로 연습하여 실력을 키우려고 합니다. 이렇게 열심히 연산을 공부하는데도 왜 어떤 아이들은 수학 문제를 잘 풀지 못하는 것일까요? 그 이유는 현재 연산 학습의 목적이 단지 '계산을 잘 하는 것'이 되어버렸기 때문입니다. 연산은 연산 자체가 목적이 될 수 없으며 수학의 진짜 목표인 문제를 잘 풀기 위한 수단으로 연산을 학습해야 합니다.

과거 초등 수학 교과서의 연산 단원은 ① 원리와 연습 ② 문장제 활용의 단순한 구성이었습니다만 요즘의 교과서는 많이 달라졌습니다. 원리와 연습은 그대로이거나 조금 줄었지만 연산을 응용하는 방식은 좀 더 다양해졌습니다. 계산 능력의 향상만을 꾀하는 것이 아니라 여러 가지 퍼즐이나 수학적 상황 등을 해결할 수 있는 '응용력'에 초점을 맞추고 있다는 것을 보여주는 변화입니다. 따라서 저희는 연산 학습지도 원리나 연습 위주에서 벗어나 실제 문제를 해결할 수 있는 능력에 포인트를 맞추어야 한다고 생각합니다.

'연산은 잘 하는데 수학 문제는 왜 못 풀까요?'에 대한 대답이자 대안으로 저희는 「응용연산」이라는 새로운 컨셉의 연산 학습지를 만들었습니다. 연산 원리를 이해하고 연습하는 것에 그치지 않고, 익힌 것을 활용하는 방법을 바로 보여줄 수 있어야 아이들이 수학 문제에 연산을 효과적으로 적용할 수 있습니다. 연습은 꼭 필요한 만큼만 하고, 더 중요한 응용 문제에 바로 도전함으로써 연산과 문제 해결이 단절되지 않게 하는 것이 「응용연산」에서 기대하는 가장 큰 목표입니다.

「응용연산」을 통해 아이들이 왜 연산을 해야 하는지 스스로 느낄 수 있을 것이라 자신합니다. 이제 연산은 '원리'나 '연습'이 아닌 스스로 문제를 해결할 수 있는 '응용력'입니다.

응용연산의 구성과 특징

· 매일 부담없이 4쪽씩 연산 학습
· 매주 4일간 단계별 연산 학습과 응용 문제를 통한 연산 실력 확인
· 매주 1일 형성평가로 테스트 및 복습

주차별 구성

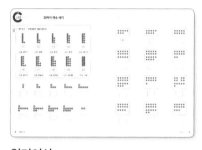

원리연산
대표 문제를 통해 학습하는 매일 새로운 단계별 연산 학습

응용연산
기본 문제와 응용 문제를 통한 응용력과 문제해결력 증진

형성평가
가장 중요한 유형을 다시 한번 복습하며 주차 학습 마무리

정답 및 해설

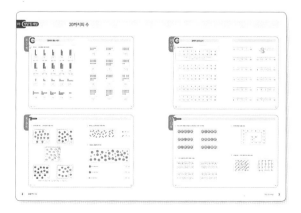

문제와 답을 한눈에 볼 수 있습니다.

이 책의 차례

1주차

20까지의 수

20까지의 수 세기, 순서, 크기 비교

20까지 개수 세기

세어 보고 ☐ 안에 알맞은 수를 써 봅시다.

11	12	13	14	15
(십일, 열하나)	(십이, 열둘)	(십삼, 열셋)	(십사, 열넷)	(십오, 열다섯)

16	17	18	19	20
(십육, 열여섯)	(십칠, 열일곱)	(십팔, 열여덟)	(십구, 열아홉)	(이십, 스물)

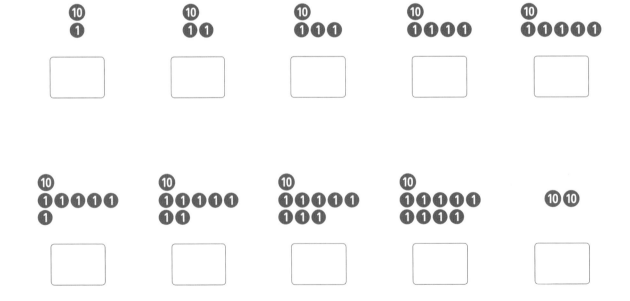

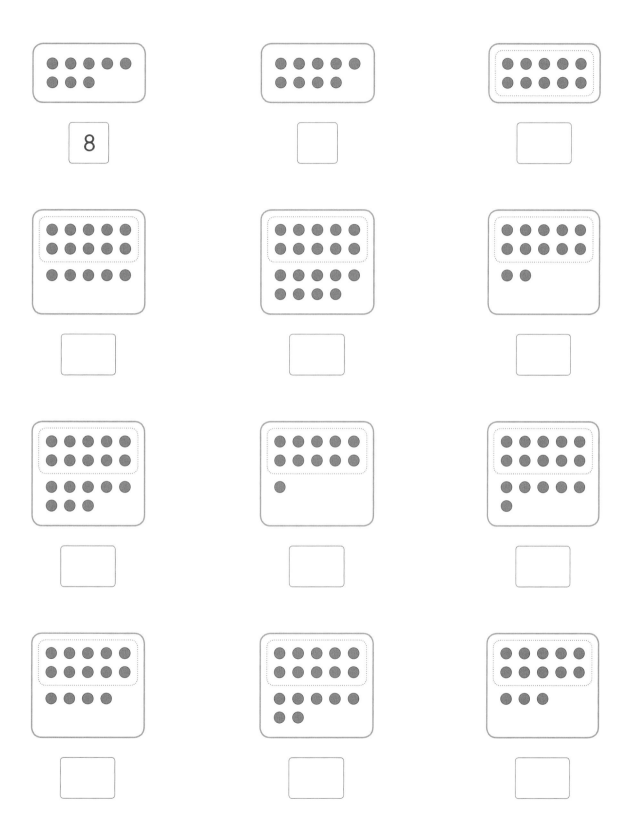

1 10개씩 묶어 세고 ☐ 안에 알맞은 수를 쓰세요.

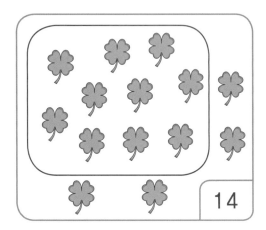

14

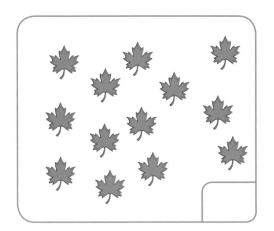

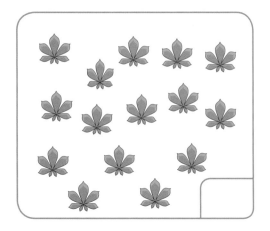

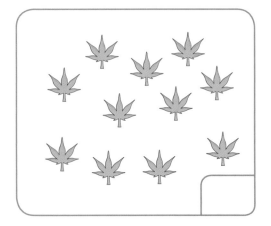

2 세어 보고 빈칸에 알맞은 수를 쓰세요.

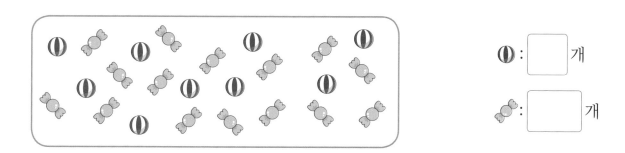

③ : ☐ 개

🍬 : ☐ 개

3 그림을 보고 물음에 답하세요.

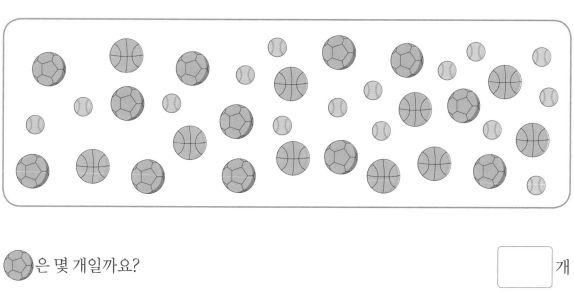

⚽은 몇 개일까요? ☐ 개

🏀은 몇 개일까요? ☐ 개

⚾은 몇 개일까요? ☐ 개

20까지 수의 순서

2일

작은 수부터 차례로 빈칸을 채워 봅시다.

1	2	3	4	5	6	7	8	9	10
11	12	13	14	15	16	17	18	19	20

11부터 19까지 수를 순서대로 쓰면 11 12 13 14 15 16 17 18 19입니다.
앞의 1을 빼면 1부터 9까지 수의 순서와 같습니다.

1	2	3		5			8	9	10
	12	13	14	15		17		19	20

1	2			5	6	7		9	10
11		13	14	15	16		18		20

1	2		4	5	6		8	9	
11	12	13		15	16	17			20

		3	4		6	7	8	9	10
11	12	13		15		17	18		20

14 15 16 17 18

순서에 맞게 빈칸에 알맞은 수를 쓰세요.

16 ☐ ☐ ☐ 20

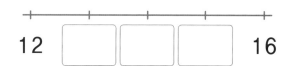

12 ☐ ☐ ☐ 16

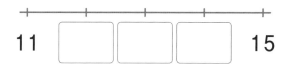

11 ☐ ☐ ☐ 15

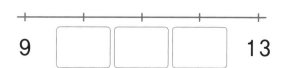

9 ☐ ☐ ☐ 13

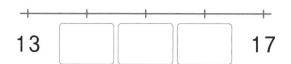

13 ☐ ☐ ☐ 17

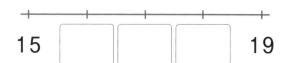

15 ☐ ☐ ☐ 19

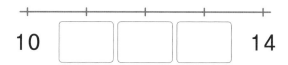

10 ☐ ☐ ☐ 14

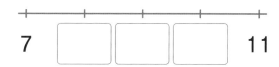

7 ☐ ☐ ☐ 11

8 ☐ ☐ ☐ 12

15 ☐ ☐ ☐ 19

1 작은 수부터 차례로 쓴 것입니다. 잘못 들어간 수에 ✕표 하세요.

2 ⬡ 안의 수를 작은 수부터 차례로 쓰세요.

3 빈칸에 알맞은 수를 쓰세요.

	6	7	8		10
4					11
		19	20		
2					13
1		17			14

4 규칙을 찾아 11부터 20까지의 수를 쓰세요.

1	2	4	7
3	5	8	
6	9		
10			

1	8	9	
2	7	10	
3	6		
4	5		

2씩 앞으로 뛰어 세기

개념
원리

2씩 앞으로 뛰어 세어 빈칸에 알맞은 수를 써 봅시다.

$1 \rightarrow 3 \rightarrow 5 \rightarrow 7 \rightarrow 9 \rightarrow 11 \rightarrow 13 \rightarrow 15 \rightarrow 17 \rightarrow 19$

2 2 2 2 2 2 2 2 2

1 2 3 4 5 6 7 8 9 10 11 12 13 14 15 16 17 18 19 20

1부터 2씩 앞으로 뛰어 세면 '1, 3, 5, 7, 9, 11, 13, 15, 17, 19'입니다.

$2 \rightarrow \boxed{} \rightarrow 6 \rightarrow \boxed{} \rightarrow 10 \rightarrow 12 \rightarrow 14 \rightarrow \boxed{} \rightarrow 18 \rightarrow 20$

$1 \rightarrow 3 \rightarrow \boxed{} \rightarrow 7 \rightarrow \boxed{} \rightarrow 11 \rightarrow \boxed{} \rightarrow 15 \rightarrow 17 \rightarrow 19$

$\boxed{} \rightarrow 4 \rightarrow \boxed{} \rightarrow 8 \rightarrow 10 \rightarrow 12 \rightarrow \boxed{} \rightarrow 16 \rightarrow 18 \rightarrow 20$

$1 \rightarrow \boxed{} \rightarrow 5 \rightarrow 7 \rightarrow 9 \rightarrow \boxed{} \rightarrow 13 \rightarrow 15 \rightarrow 17 \rightarrow \boxed{}$

$2 \rightarrow 4 \rightarrow 6 \rightarrow 8 \rightarrow \boxed{} \rightarrow \boxed{} \rightarrow 14 \rightarrow 16 \rightarrow \boxed{} \rightarrow 20$

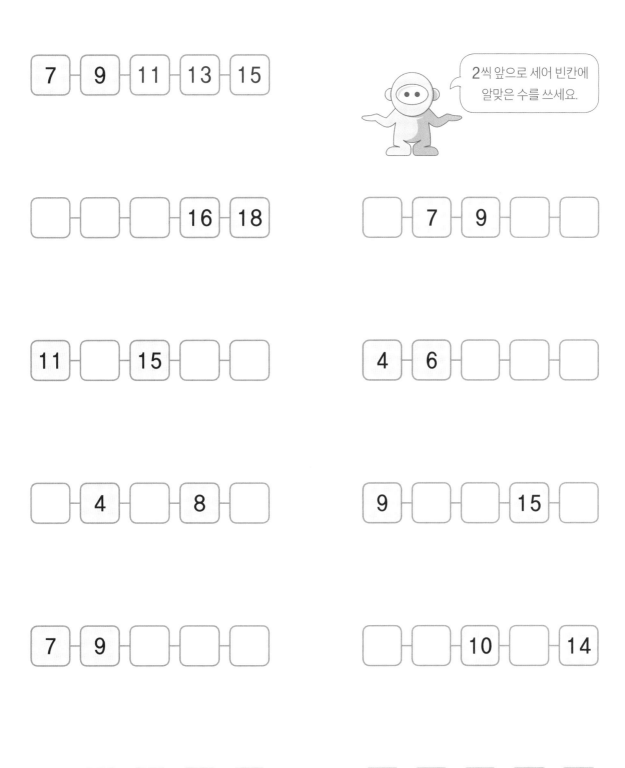

2씩 앞으로 세어 빈칸에 알맞은 수를 쓰세요.

| 7 | 9 | 11 | 13 | 15 |

| | | | 16 | 18 |

| | 7 | 9 | | |

| 11 | | 15 | | |

| 4 | 6 | | | |

| | 4 | | 8 | |

| 9 | | | 15 | |

| 7 | 9 | | | |

| | | 10 | | 14 |

| | 10 | | | 16 |

| | 13 | | 17 | |

1 2씩 앞으로 뛰어 세어 차례로 선을 이으세요.

시작 6 — 8 13
7 10 12
9 11 14 끝

13 15 17 끝
11 12 14
시작 9 10 16

시작 5 7 8
6 9 11
8 10 13 끝

11 14 16 끝
6 12 13
시작 8 10 11

시작 12 14 16
11 13 18
14 15 20 끝

시작 11 14 16
13 18 20
15 17 19 끝

8 10 15 끝
6 11 13
시작 7 9 14

시작 10 11 13
12 14 20
15 16 18 끝

2 앞으로 2씩 뛰어 세어 선으로 연결하세요.

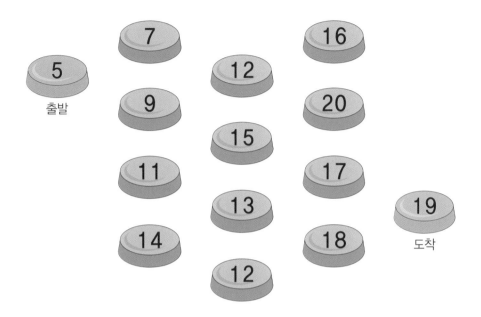

3 5에서 시작하여 2씩 앞으로 4번 뛰어 센 수는 얼마일까요?

4 6에서 시작하여 2씩 앞으로 6번 뛰어 센 수는 얼마일까요?

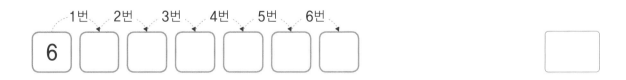

1 큰 수, 2 큰 수

 개념
원리

1 큰 수, 2 큰 수를 써 봅시다.

1 큰 수가 두 번이면 2 큰 수가 됩니다.

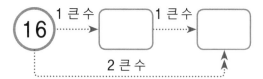

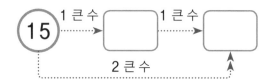

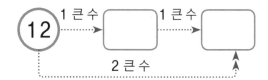

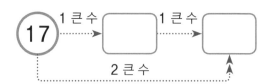

(10) ·····▶ [11] (12) ·····▶▶ [14]

·····▶ 1큰수
·····▶▶ 2큰수

(16) ·····▶ [ ] (15) ·····▶▶ [ ] (17) ·····▶ [ ]

(13) ·····▶▶ [ ] (19) ·····▶ [ ] (11) ·····▶▶ [ ]

(13) ·····▶ [ ] (14) ·····▶▶ [ ] (18) ·····▶ [ ]

(17) ·····▶▶ [ ] (12) ·····▶ [ ] (10) ·····▶▶ [ ]

(15) ·····▶ [ ] (10) ·····▶▶ [ ] (17) ·····▶ [ ]

1 ●안의 수보다 **2** 큰 수를 찾아 선으로 연결하세요.

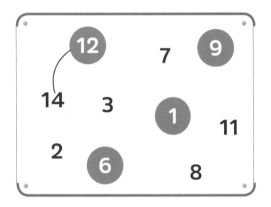

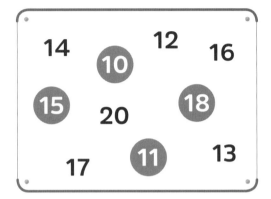

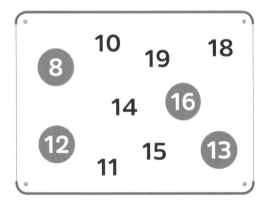

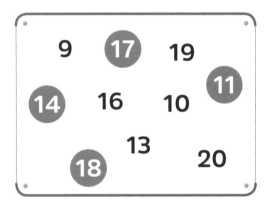

2 화살표 규칙을 찾아 빈칸에 알맞은 수를 쓰세요.

3 준희와 승희의 사물함 번호를 구하세요.

준희

내 사물함 번호는
10보다 **1** 큰 수야.

준희의 사물함 번호: [ ] 번

승희

내 사물함 번호는
15보다 **2** 큰 수야.

승희의 사물함 번호: [ ] 번

4 □ 안에 알맞은 수를 찾아 ○표 하세요.

13보다 **2** 큰 수는 □ 입니다.

| 14 | 15 | 16 | 17 |

□ 보다 **2** 큰 수는 **18**입니다.

| 12 | 13 | 16 | 17 |

5 **9**보다 **2** 큰 수는 얼마일까요?

[ ]

1 10개씩 묶어 세고 ☐ 안에 알맞은 수를 쓰세요.

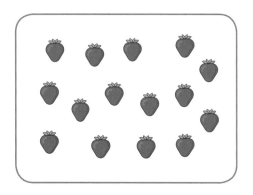

☐ 개

2 그림을 보고 물음에 답하세요.

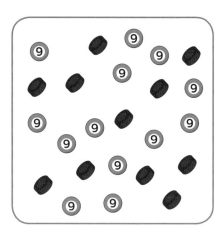

⑨은 몇 개일까요?

☐ 개

●은 몇 개일까요?

☐ 개

3 작은 수부터 차례로 쓴 것입니다. 잘못 들어간 수에 ✕표 하세요.

| 11 | 12 | 13 | 15 | 14 |

| 16 | 15 | 17 | 18 | 19 |

4 규칙을 찾아 11부터 20까지의 수를 쓰세요.

1	3	6	10
2	5	9	
4	8		
7			

5 2씩 앞으로 뛰어 세어 차례로 선을 이으세요.

시작 ●
6	8	10
7	10	12
9	13	14	● 끝

| 12 | 15 | 17 | ● 끝
|----|----|----|
| 11 | 13 | 18 |
| 9 | 14 | 15 |
시작 ●

6 3에서 시작하여 2씩 앞으로 6번 뛰어 센 수는 얼마일까요?

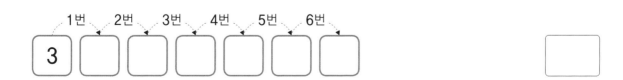

1번 2번 3번 4번 5번 6번

| 3 | | | | | | |

7 화살표 규칙에 맞게 1 큰 수, 2 큰 수를 쓰세요.

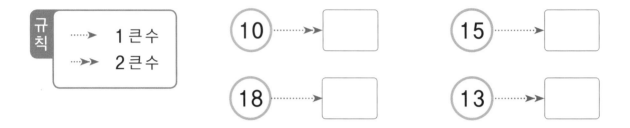

8 ● 안의 수보다 2 큰 수를 찾아 선으로 연결하세요.

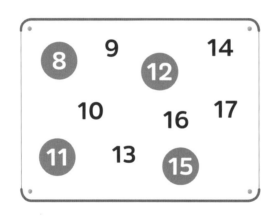

9 정호의 사물함 번호는 몇 번일까요?

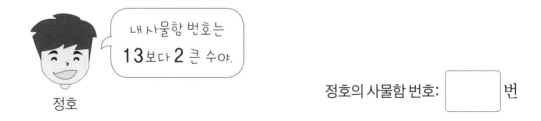

내 사물함 번호는 13보다 2 큰 수야.

정호

정호의 사물함 번호: ☐ 번

2주차

더하기

더하는 수가 1, 2인 20까지의 덧셈

더하기 1, 더하기 2

1일
021

개념
원리

그림을 보고 덧셈을 해 봅시다.

$11 + \boxed{2} = \boxed{13}$

구슬 11개에 2개를 더하면 모두 13개가 됩니다.

$13 + \boxed{} = \boxed{}$

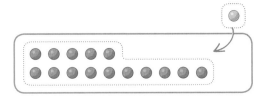

$15 + \boxed{} = \boxed{}$

$12 + \boxed{} = \boxed{}$

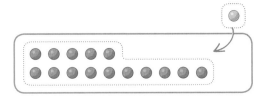

$19 + \boxed{} = \boxed{}$

$17 + \boxed{} = \boxed{}$

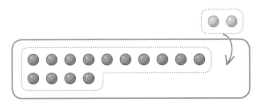

$14 + \boxed{} = \boxed{}$

11 + 2 = ☐

14 + 1 = ☐

16 + 2 = ☐

17 + 1 = ☐

15 + 2 = ☐

11 + 1 = ☐

12 + 2 = ☐

13 + 1 = ☐

18 + 2 = ☐

18 + 1 = ☐

10 + 2 = ☐

16 + 1 = ☐

```
    1  3
 +     2
 _____
   ☐
```

```
    1  0
 +     1
 _____
   ☐
```

```
    1  5
 +     1
 _____
   ☐
```

```
    1  7
 +     2
 _____
   ☐
```

```
    1  2
 +     1
 _____
   ☐
```

```
    1  4
 +     2
 _____
   ☐
```

1　계산에 맞게 선을 그으세요.

$$15 + \begin{array}{c} 1 \\ 2 \end{array} = 17$$

$$13 + \begin{array}{c} 1 \\ 2 \end{array} = 14$$

2　관계있는 것끼리 선으로 이으세요.

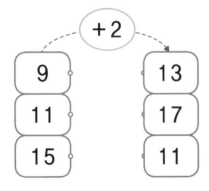

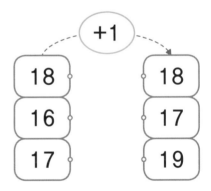

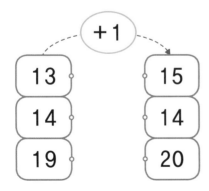

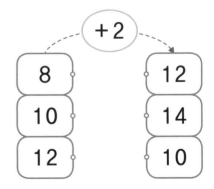

3 그림을 보고 물음에 답하세요.

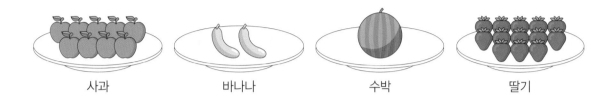

사과   바나나   수박   딸기

사과와 수박은 모두 몇 개일까요?

식 [ ] + [ ] = [ ]   답 [ ] 개

사과와 바나나는 모두 몇 개일까요?

식 [ ] + [ ] = [ ]   답 [ ] 개

딸기와 수박은 모두 몇 개일까요?

식 [ ] + [ ] = [ ]   답 [ ] 개

딸기와 바나나는 모두 몇 개일까요?

식 [ ] + [ ] = [ ]   답 [ ] 개

1 더하기, 2 더하기

두 수를 바꾸어 더해 봅시다.

$$11 + 2 = \boxed{13}$$

$$2 + 11 = \boxed{13}$$

11 더하기 2는 2 더하기 11과 같습니다.

$18 + 1 = \boxed{}$

$1 + 18 = \boxed{}$

$13 + 2 = \boxed{}$

$2 + 13 = \boxed{}$

$16 + 1 = \boxed{}$

$1 + 16 = \boxed{}$

$15 + 2 = \boxed{}$

$2 + 15 = \boxed{}$

$12 + 1 = \boxed{}$

$1 + 12 = \boxed{}$

$17 + 2 = \boxed{}$

$2 + 17 = \boxed{}$

$11 + 1 = \boxed{}$

$1 + 11 = \boxed{}$

$14 + 2 = \boxed{}$

$2 + 14 = \boxed{}$

$13 + 1 = \boxed{}$

$1 + 13 = \boxed{}$

16 + 1 = ☐
1 + 16 = ☐

13 + 2 = ☐
2 + 13 = ☐

12 + 2 = ☐
2 + 12 = ☐

17 + 1 = ☐
1 + 17 = ☐

14 + 1 = ☐
1 + 14 = ☐

11 + 2 = ☐
2 + 11 = ☐

18 + 2 = ☐
2 + 18 = ☐

15 + 1 = ☐
1 + 15 = ☐

13 + 1 = ☐
1 + 13 = ☐

16 + 2 = ☐
2 + 16 = ☐

1 덧셈에 맞게 선으로 이으세요.

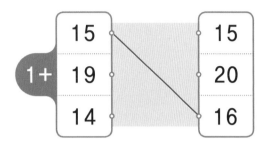

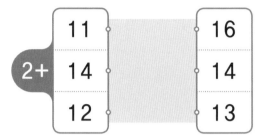

2 두 수의 합이 ◯ 안의 수가 되도록 선으로 이으세요.

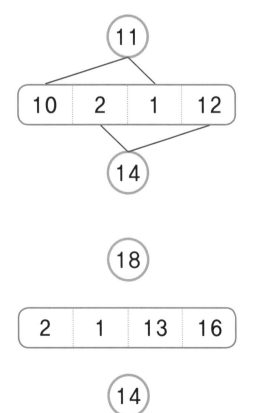

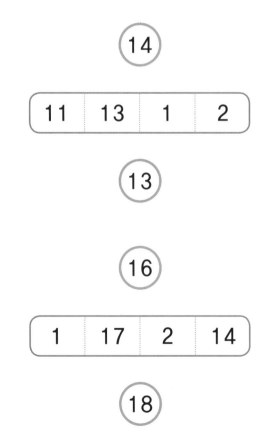

3   다음과 같이 주어진 수와 기호를 이용하여 덧셈식 **2개**를 만드세요.

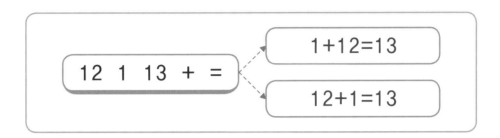

4   파란색 모자가 **1**개, 초록색 모자가 **12**개 있습니다. 모자는 모두 몇 개일까요?

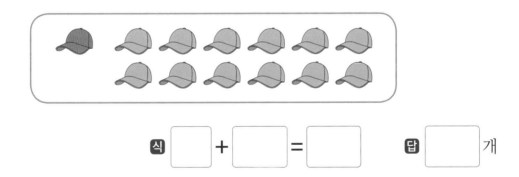

식 ☐ + ☐ = ☐   답 ☐ 개

5   빨간색 구슬이 **2**개, 파란색 구슬이 **13**개 있습니다. 구슬은 모두 몇 개일까요?

식 ☐ + ☐ = ☐   답 ☐ 개

□가 있는 더하기 1, 2

개념
원리

빈칸에 알맞게 ◯를 그리고 □ 안에 알맞은 수를 써 봅시다.

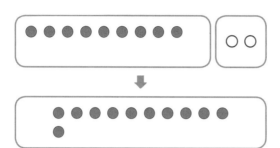

$9 + \boxed{2} = 11$

9에 □를 더하면 11입니다.

□는 2입니다.

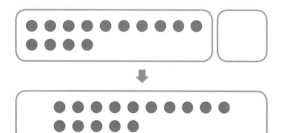

$\boxed{} + 1 = 15$

$17 + \boxed{} = 19$

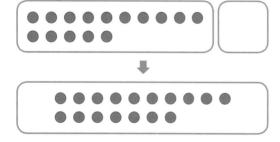

$\boxed{} + 2 = 17$

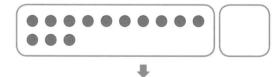

$13 + \boxed{} = 14$

$11 + \boxed{} = 13$

$\boxed{} + 1 = 15$

$13 + \boxed{} = 15$

$18 + \boxed{} = 19$

$\boxed{} + 2 = 18$

$18 + \boxed{} = 19$

$10 + \boxed{} = 12$

$\boxed{} + 1 = 14$

$14 + \boxed{} = 16$

$12 + \boxed{} = 13$

$\boxed{} + 2 = 17$

$16 + \boxed{} = 17$

```
   1  2              1  4              1  0
+     □           +     □           +     □
─────────         ─────────         ─────────
   1  4              1  5              1  2
```

```
   □                 □                 □
+     1           +     2           +     1
─────────         ─────────         ─────────
   1  6              1  8              1  4
```

1 □ 안에 들어갈 수에 맞게 선으로 이으세요.

$12 + \boxed{2} = 14$	1	$14 + \boxed{2} = 16$
$\boxed{} + 2 = 15$	13	$19 + \boxed{} = 20$
$10 + \boxed{} = 11$	2	$\boxed{} + 1 = 14$

$16 + \boxed{} = 17$	1	$17 + \boxed{} = 19$
$10 + \boxed{} = 12$	9	$\boxed{} + 2 = 11$
$\boxed{} + 1 = 10$	2	$14 + \boxed{} = 15$

2 수직선을 보고 □ 안에 알맞은 수를 쓰세요.

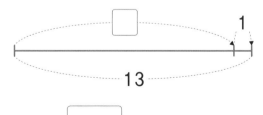

$$\boxed{} + 1 = 13$$

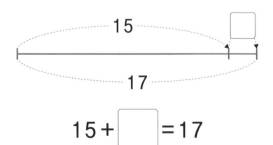

$$15 + \boxed{} = 17$$

3 문장을 식으로 나타내었습니다. 관계있는 것끼리 선으로 이으세요.

19에 ☐ 를 더했더니 20이 되었습니다. ∘   ∘ ☐ + 1 = 12

☐ 에 1을 더했더니 12가 되었습니다. ∘   ∘ 13 + ☐ = 15

13에 ☐ 를 더했더니 15가 되었습니다. ∘   ∘ 19 + ☐ = 20

4 어떤 수 ☐ 를 구하세요.

☐ 에 1을 더했더니 13입니다. ☐ 는 얼마일까요?   ☐
☐ +1=13

16에 ☐ 를 더했더니 18입니다. ☐ 는 얼마일까요?   ☐
16+☐ =18

☐ 에 2를 더했더니 17입니다. ☐ 는 얼마일까요?   ☐

9에 ☐ 를 더했더니 10입니다. ☐ 는 얼마일까요?   ☐

세 수의 덧셈

개념
원리

그림을 보고 ☐ 안에 알맞은 수를 써 봅시다.

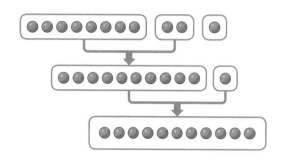

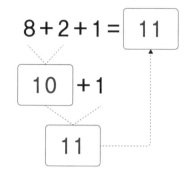

$8 + 2 + 1 =$ 11

10 $+ 1$

11

앞의 두 수 8과 2를 더한 값 10에 마지막 수 1을 더합니다.

$14 + 1 + 2 =$ ☐

☐ $+ 2$

☐

$16 + 2 + 1 =$ ☐

☐ $+ 1$

☐

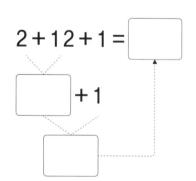

$2 + 12 + 1 =$ ☐

☐ $+ 1$

☐

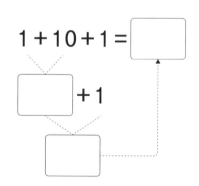

$1 + 10 + 1 =$ ☐

☐ $+ 1$

☐

$11 + 2 + 1 =$ ☐

$2 + 13 + 2 =$ ☐

$16 + 1 + 1 =$ ☐

$2 + 13 + 1 =$ ☐

$14 + 1 + 2 =$ ☐

$16 + 1 + 2 =$ ☐

$1 + 17 + 1 =$ ☐

$1 + 13 + 1 =$ ☐

$2 + 10 + 2 =$ ☐

$2 + 15 + 1 =$ ☐

$17 + 2 + 1 =$ ☐

$9 + 2 + 2 =$ ☐

$2 + 15 + 1 =$ ☐

$1 + 18 + 1 =$ ☐

$13 + 1 + 2 =$ ☐

$16 + 1 + 2 =$ ☐

1 빈칸에 알맞은 수를 쓰세요.

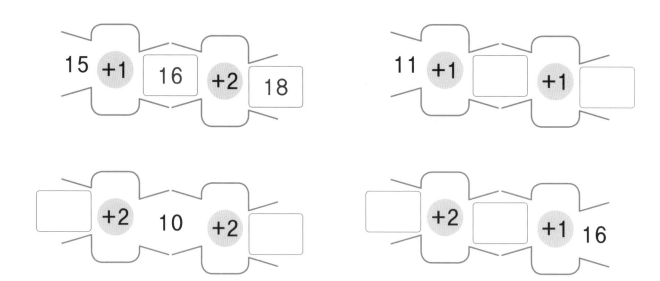

2 계산을 하여 빈칸에 알맞은 수를 쓰세요.

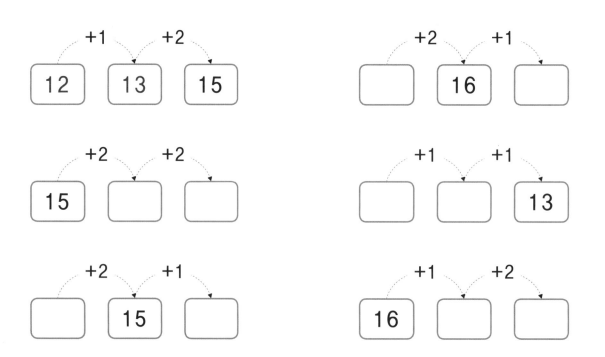

3 사다리를 타고 내려가는 길의 계산에 맞게 빈칸에 알맞은 수를 쓰세요.

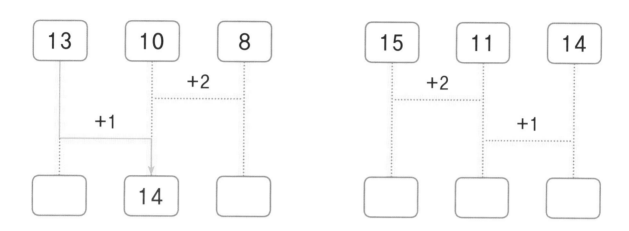

4 그림을 보고 물음에 답하세요.

각 과일의 개수를 쓰세요.

🍎 : ☐ 개, 🍌 : ☐ 개, 🍅 : ☐ 개

과일은 모두 몇 개일까요?

식 ☐ + ☐ + ☐ = ☐   답 ☐ 개

1 계산에 맞게 선을 그으세요.

⑪ + 1 / 2 = ⑫   ⑯ + 1 / 2 = ⑱

2 사과와 딸기는 모두 몇 개일까요?

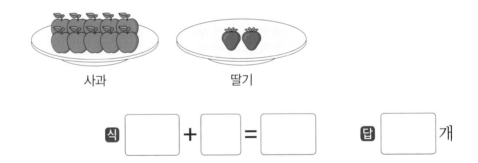

사과   딸기

식 [   ] + [   ] = [   ]   답 [   ] 개

3 덧셈을 하세요.

12 + 1 = [   ]   15 + 2 = [   ]

1 + 12 = [   ]   2 + 15 = [   ]

4 두 수의 합이 ◯ 안의 수가 되도록 선으로 이으세요.

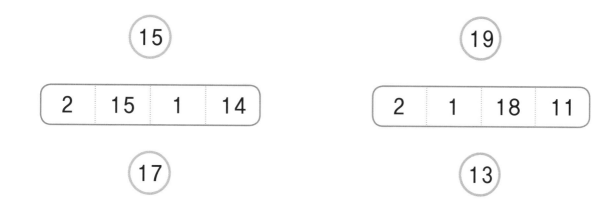

5 흰색 바둑돌이 2개, 검은색 바둑돌이 14개 있습니다. 바둑돌은 모두 몇 개일까요?

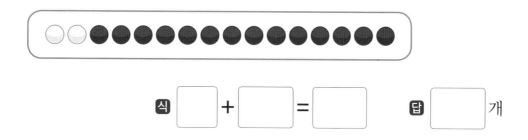

식 ☐ + ☐ = ☐   답 ☐ 개

6 수직선을 보고 ☐ 안에 알맞은 수를 쓰세요.

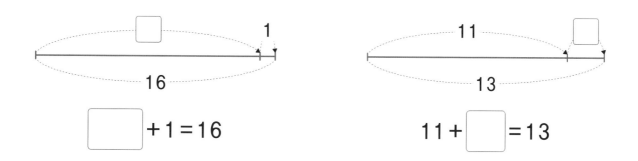

☐ + 1 = 16   11 + ☐ = 13

7 ☐에 **2**를 더했더니 **16**입니다. ☐는 얼마일까요? ☐

8 계산을 하여 ☐ 안에 알맞은 수를 쓰세요.

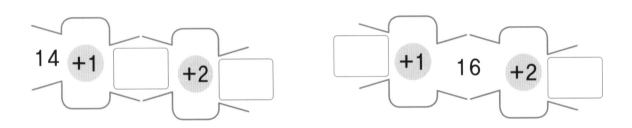

9 과일은 모두 몇 개일까요?

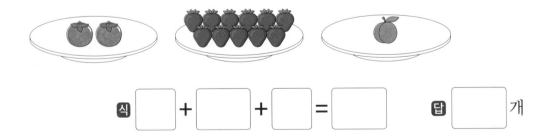

식 ☐ + ☐ + ☐ = ☐   답 ☐ 개

3주차

빼기

빼는 수가 1, 2인 20까지의 뺄셈

2씩 거꾸로 세기

개념원리

2씩 거꾸로 뛰어 세어 빈칸에 알맞은 수를 써 봅시다.

20 ➡ 18 ➡ 16 ➡ 14 ➡ 12 ➡ 10 ➡ 8 ➡ 6 ➡ 4 ➡ 2

```
        2    2    2    2    2    2    2    2    2
1   2   3   4   5   6   7   8   9  10  11  12  13  14  15  16  17  18  19  20
```

20부터 2씩 거꾸로 세면 '20, 18, 16, 14, 12, 10, 8, 6, 4, 2'입니다.

---

19 ➡ 17 ➡ ☐ ➡ ☐ ➡ 11 ➡ 9 ➡ 7 ➡ 5 ➡ ☐ ➡ 1

20 ➡ ☐ ➡ 16 ➡ 14 ➡ 12 ➡ 10 ➡ 8 ➡ 6 ➡ ☐ ➡ ☐

19 ➡ 17 ➡ 15 ➡ 13 ➡ ☐ ➡ ☐ ➡ 7 ➡ ☐ ➡ 3 ➡ 1

20 ➡ 18 ➡ 16 ➡ ☐ ➡ 12 ➡ 10 ➡ ☐ ➡ ☐ ➡ 4 ➡ 2

☐ ➡ 17 ➡ 15 ➡ 13 ➡ 11 ➡ 9 ➡ ☐ ➡ 5 ➡ 3 ➡ ☐

17 — 15 — 13 — 11 — 9

2씩 거꾸로 세어 빈칸에
알맞은 수를 쓰세요.

⬜ — ⬜ — ⬜ — 10 — 8

⬜ — 11 — 9 — ⬜ — ⬜

19 — ⬜ — 15 — ⬜ — ⬜

12 — 10 — ⬜ — ⬜ — ⬜

⬜ — 16 — ⬜ — 12 — ⬜

11 — ⬜ — ⬜ — 5 — ⬜

10 — 8 — ⬜ — ⬜ — ⬜

⬜ — ⬜ — 11 — ⬜ — 7

⬜ — 17 — ⬜ — ⬜ — 11

⬜ — 12 — ⬜ — 8 — ⬜

1 2씩 거꾸로 뛰어 세어 차례로 선을 이으세요.

16	13	10	끝
17	14	12	
시작 18	16	15	

시작	11	12	6
	9	8	4
	7	5	3 끝

10	9	7	끝
14	11	6	
시작 15	13	12	

시작	14	12	7
	13	10	8
	11	9	6 끝

시작	16	17	15
	14	12	9
	13	10	8 끝

13	11	9	끝
15	16	10	
시작 17	18	8	

17	15	12	끝
19	16	14	
시작 20	18	17	

시작	13	11	9
	15	13	7
	14	6	5 끝

2 거꾸로 **2**씩 뛰어 세어 선으로 연결하세요.

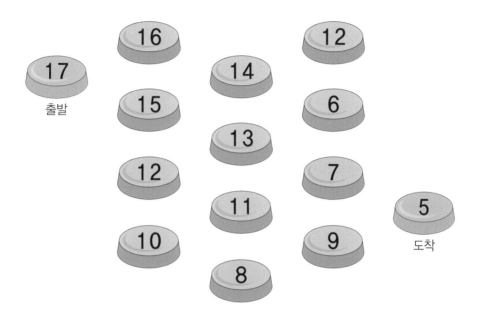

3 **17**에서 시작하여 **2**씩 거꾸로 **4**번 뛰어 센 수는 얼마일까요?

4 **20**에서 시작하여 **2**씩 거꾸로 **5**번 뛰어 센 수는 얼마일까요?

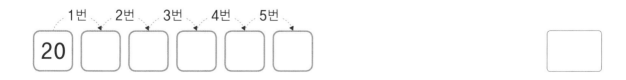

1 작은 수, 2 작은 수

개념
원리

1 작은 수, 2 작은 수를 써 봅시다.

1 작은 수가 두 번이면 2 작은 수가 됩니다.

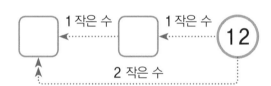

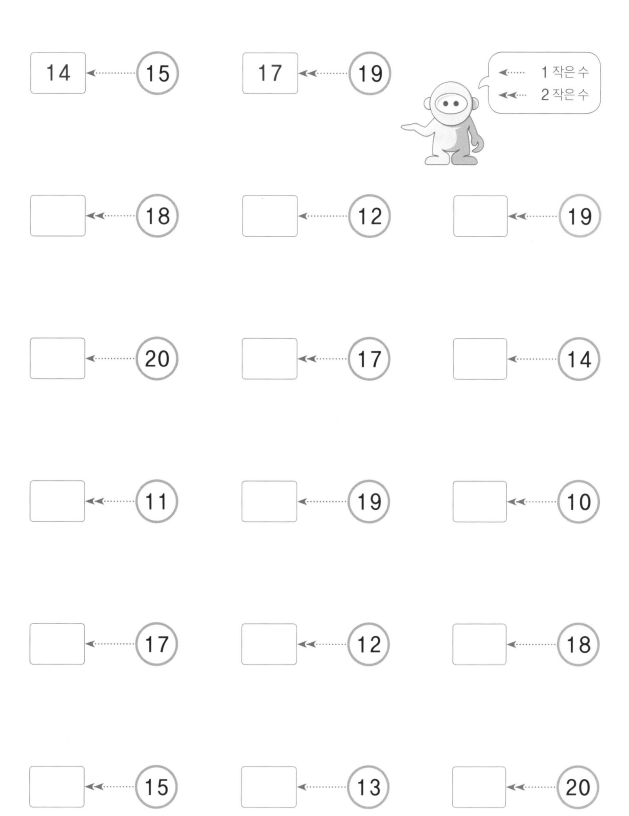

1 ● 안의 수보다 2 작은 수를 찾아 선으로 연결하세요.

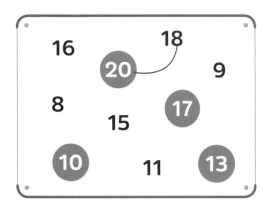

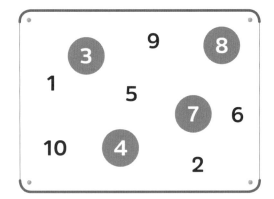

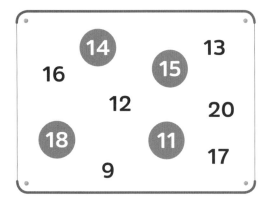

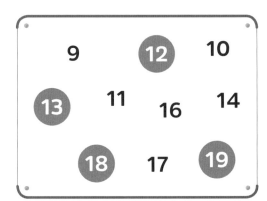

2 화살표 규칙을 찾아 빈칸에 알맞은 수를 쓰세요.

3 형철이의 사물함 번호는 **16**번입니다. 수영이와 정호의 사물함 번호를 구하세요.

형철이 번호보다 **2** 작은 수야.

수영

수영이의 사물함 번호: ☐ 번

형철이 번호보다 **1** 작은 수야.

정호

정호의 사물함 번호: ☐ 번

4 ☐ 안에 알맞은 수를 찾아 ○표 하세요.

17보다 **1** 작은 수는 ☐ 입니다.

| 14 | 15 | 16 | 17 |

☐ 보다 **2** 작은 수는 **12**입니다.

| 13 | 14 | 15 | 16 |

5 어떤 수보다 **2** 작은 수는 **16**입니다. 어떤 수는 얼마일까요?

☐

빼기 1, 빼기 2

그림을 보고 뺄셈을 해 봅시다.

14 − 1 = 13

구슬 14개에서 1개를 빼면
13개가 됩니다.

19 − 2 = 17

구슬 19개에서 2개를 지우면
17개가 됩니다.

☐ − ☐ = ☐

☐ − ☐ = ☐

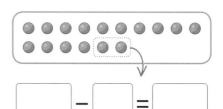

☐ − ☐ = ☐

☐ − ☐ = ☐

☐ − ☐ = ☐

☐ − ☐ = ☐

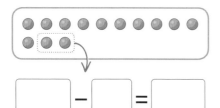

15 − 1 = ☐   12 − 2 = ☐   14 − 1 = ☐

18 − 2 = ☐   19 − 1 = ☐   16 − 2 = ☐

11 − 1 = ☐   13 − 2 = ☐   17 − 1 = ☐

14 − 2 = ☐   17 − 1 = ☐   12 − 2 = ☐

$$\begin{array}{r} 1\ 8 \\ -\ \ \ 1 \\ \hline \ \end{array}\qquad \begin{array}{r} 1\ 5 \\ -\ \ \ 2 \\ \hline \ \end{array}\qquad \begin{array}{r} 1\ 2 \\ -\ \ \ 1 \\ \hline \ \end{array}$$

$$\begin{array}{r} 1\ 7 \\ -\ \ \ 2 \\ \hline \ \end{array}\qquad \begin{array}{r} 1\ 3 \\ -\ \ \ 1 \\ \hline \ \end{array}\qquad \begin{array}{r} 1\ 9 \\ -\ \ \ 2 \\ \hline \ \end{array}$$

1 계산에 맞게 선을 그으세요.

18 − 1 2 = 17

11 − 1 2 = 9

2 관계있는 것끼리 선으로 이으세요.

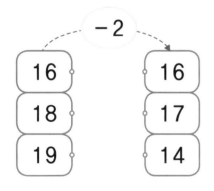

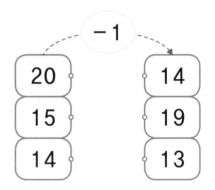

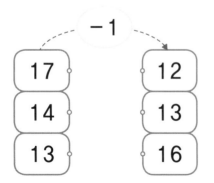

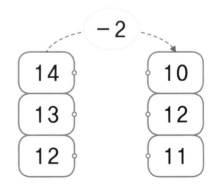

3 주어진 숫자 카드를 이용하여 만들 수 있는 두 수의 뺄셈식을 모두 쓰고 계산하세요.

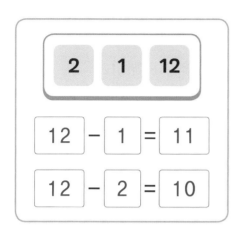

$$12 - 1 = 11$$

$$12 - 2 = 10$$

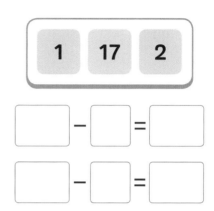

$$\boxed{} - \boxed{} = \boxed{}$$

$$\boxed{} - \boxed{} = \boxed{}$$

4 그림을 보고 물음에 맞는 답을 구하세요.

참새 9마리가 전깃줄에 앉아 있습니다. 그중 2마리가 날아 갔습니다. 전깃줄에 남아 있는 참새는 몇 마리일까요?

식 $\boxed{} - \boxed{} = \boxed{}$ 답 $\boxed{}$ 마리

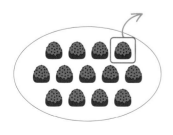

초콜릿이 13개 있습니다. 그중 1개를 동생에게 주었습니다. 남은 초콜릿은 몇 개일까요?

식 $\boxed{} - \boxed{} = \boxed{}$ 답 $\boxed{}$ 개

□가 있는 빼기 1, 2

개념
원리

그림을 보고, □ 안에 알맞은 수를 써 봅시다.

$$\boxed{13} - 1 = 12$$

□에서 1을 빼면 12입니다.

□는 13입니다.

$$15 - \boxed{} = 14$$

$$\boxed{} - 2 = \boxed{}$$

$$18 - \boxed{} = 16$$

$$\boxed{} - 2 = \boxed{}$$

$$14 - \boxed{} = 12$$

$$\boxed{} - 1 = \boxed{}$$

$13 - \boxed{} = 11$　　　　$\boxed{} - 1 = 16$　　　　$19 - \boxed{} = 17$

$15 - \boxed{} = 14$　　　　$\boxed{} - 2 = 12$　　　　$11 - \boxed{} = 10$

$19 - \boxed{} = 17$　　　　$\boxed{} - 1 = 11$　　　　$17 - \boxed{} = 15$

$16 - \boxed{} = 15$　　　　$\boxed{} - 2 = 16$　　　　$13 - \boxed{} = 12$

$$\begin{array}{r} 1\ \ 2 \\ -\ \ \boxed{} \\ \hline 1\ \ 0 \end{array}$$　　$$\begin{array}{r} 1\ \ 9 \\ -\ \ \boxed{} \\ \hline 1\ \ 8 \end{array}$$　　$$\begin{array}{r} 1\ \ 5 \\ -\ \ \boxed{} \\ \hline 1\ \ 3 \end{array}$$

$$\begin{array}{r} \boxed{} \\ -\ \ 1 \\ \hline 1\ \ 2 \end{array}$$　　$$\begin{array}{r} \boxed{} \\ -\ \ 2 \\ \hline 1\ \ 6 \end{array}$$　　$$\begin{array}{r} \boxed{} \\ -\ \ 1 \\ \hline 1\ \ 0 \end{array}$$

1 □ 안에 들어갈 수에 맞게 선으로 이으세요.

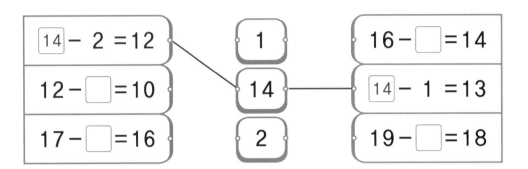

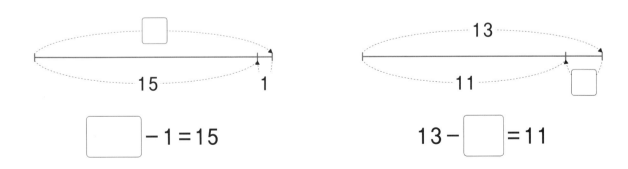

2 수직선을 보고 □ 안에 알맞은 수를 쓰세요.

□ − 1 = 15

13 − □ = 11

3 문장을 식으로 나타내었습니다. 관계있는 것끼리 이으세요.

☐에서 2를 뺐더니 12가 되었습니다.	◦	◦	16 − ☐ = 14
16에서 ☐를 뺐더니 14가 되었습니다.	◦	◦	☐ − 1 = 17
☐에서 1을 뺐더니 17이 되었습니다.	◦	◦	☐ − 2 = 12

4 어떤 수 ☐를 구하세요.

15에서 ☐를 뺐더니 14가 되었습니다. ☐는 얼마일까요?   ☐
$15 - ☐ = 14$

☐에서 1을 뺐더니 11이 되었습니다. ☐는 얼마일까요?   ☐
$☐ - 1 = 11$

19에서 ☐를 뺐더니 17이 되었습니다. ☐는 얼마일까요?   ☐

☐에서 2를 뺐더니 18이 되었습니다. ☐는 얼마일까요?   ☐

1 2씩 거꾸로 뛰어 세어 차례로 선을 이으세요.

12	9	7	끝
13	11	8
시작 15	10	7

2 20에서 시작하여 2씩 거꾸로 6번 뛰어 센 수는 얼마일까요?

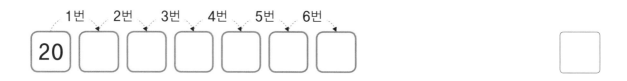

3 화살표 규칙에 맞게 1 작은 수, 2 작은 수를 쓰세요.

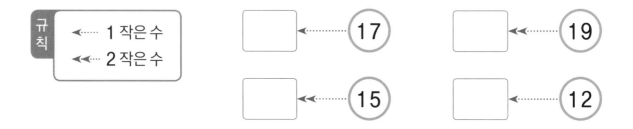

규칙
←····· 1 작은 수
◄◄···· 2 작은 수

4 ● 안의 수보다 **2** 작은 수를 찾아 선으로 연결하세요.

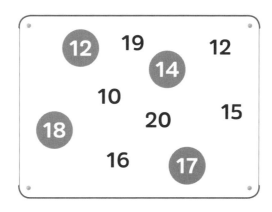

5 정호의 출석 번호는 **15**번입니다. 슬기의 출석 번호를 구하세요.

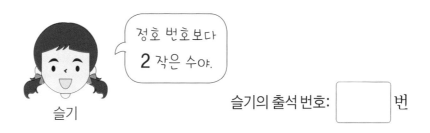

정호 번호보다 **2** 작은 수야.

슬기

슬기의 출석 번호: ☐ 번

6 계산에 맞게 선을 그으세요.

14 — 1 / 2 = 13

19 — 1 / 2 = 17

7 쿠키가 **17**개 있었습니다. 그중 **2**개를 동생에게 주었습니다. 남은 쿠키는 몇 개일까요?

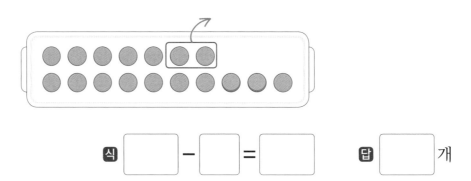

식 ☐ − ☐ = ☐ 　　답 ☐ 개

8 ☐ 안에 들어갈 수에 맞게 선으로 이으세요.

| ☐ − 2 = 14 |
| 11 − ☐ = 10 |
| 14 − ☐ = 12 |

| 1 |
| 16 |
| 2 |

| 13 − ☐ = 11 |
| ☐ − 1 = 15 |
| 19 − ☐ = 18 |

9 ☐에서 **1**을 뺐더니 **14**입니다. ☐는 얼마일까요?　　☐

4주차

더하기와 빼기

더하는 수, 빼는 수가 1, 2인 덧셈과 뺄셈

더하기와 빼기 1, 2

개념
원리

1 큰 수, 2 큰 수, 1 작은 수, 2 작은 수를 쓰고 더하기, 빼기를 해 봅시다.

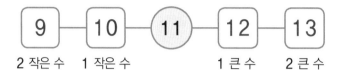

| 9 | 10 | 11 | 12 | 13 |
| 2 작은 수 | 1 작은 수 | | 1 큰 수 | 2 큰 수 |

$11 - 2 = \boxed{9}$ $11 + 1 = \boxed{12}$

$11 - 1 = \boxed{10}$ $11 + 2 = \boxed{13}$

빼기 2는 2 작은 수, 빼기 1은 1 작은 수, 더하기 1은 1 큰 수, 더하기 2는 2 큰 수와 같습니다.

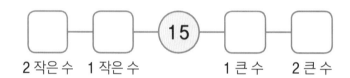

| | | 15 | | |
| 2 작은 수 | 1 작은 수 | | 1 큰 수 | 2 큰 수 |

$15 - 2 = \boxed{}$ $15 + 1 = \boxed{}$

$15 - 1 = \boxed{}$ $15 + 2 = \boxed{}$

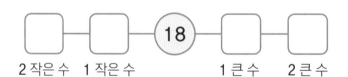

| | | 18 | | |
| 2 작은 수 | 1 작은 수 | | 1 큰 수 | 2 큰 수 |

$18 - 2 = \boxed{}$ $18 + 1 = \boxed{}$

$18 - 1 = \boxed{}$ $18 + 2 = \boxed{}$

$18 + 1 = \boxed{}$

$19 - 2 = \boxed{}$

$12 + 1 = \boxed{}$

$17 - 1 = \boxed{}$

$13 + 2 = \boxed{}$

$18 - 1 = \boxed{}$

$12 + 2 = \boxed{}$

$14 - 1 = \boxed{}$

$17 + 2 = \boxed{}$

$15 - 2 = \boxed{}$

$16 + 1 = \boxed{}$

$12 - 2 = \boxed{}$

$$\begin{array}{r} 1\ 1 \\ +\ \boxed{} \\ \hline 1\ 2 \end{array}$$

$$\begin{array}{r} 1\ 7 \\ -\ \boxed{} \\ \hline 1\ 5 \end{array}$$

$$\begin{array}{r} 1\ 5 \\ +\ \boxed{} \\ \hline 1\ 6 \end{array}$$

$$\begin{array}{r} \boxed{} \\ +\ \ 2 \\ \hline 1\ 8 \end{array}$$

$$\begin{array}{r} \boxed{} \\ -\ \ 1 \\ \hline 1\ 3 \end{array}$$

$$\begin{array}{r} \boxed{} \\ +\ \ 2 \\ \hline 1\ 4 \end{array}$$

1 계산 결과가 같은 것끼리 선으로 이으세요.

13 + 1	15 − 2
13 + 2	15 − 1
11 + 1	17 − 2
11 + 2	13 − 1

12 + 2	17 − 1
15 + 1	20 − 2
17 + 1	16 − 2
15 + 2	18 − 1

2 빈칸에 알맞은 수를 쓰세요.

+	1	2
18		
15		
12		

−	1	2
13		
19		
16		

−	1	2
17		
18		
14		

+	1	2
10		
11		
17		

3 물음에 맞게 알맞은 식에 ◯표 하세요.

먹고 남은 아이스크림은 몇 개일까요?

| $8 + 2 = 10$ | $10 - 2 = 8$ | $10 + 2 = 12$ | $8 - 2 = 6$ |

풍선은 모두 몇 개일까요?

| $11 - 2 = 9$ | $9 + 1 = 10$ | $9 - 2 = 7$ | $9 + 2 = 11$ |

4 구슬이 7개 있었습니다. 그중 2개를 동생에게 주었습니다. 남은 구슬은 몇 개일까요?

식 □ − □ = □   답 □ 개

5 오리가 11마리, 닭이 2마리 있습니다. 오리와 닭은 모두 몇 마리일까요?

식 □ + □ = □   답 □ 마리

□가 있는 더하기와 빼기 1, 2

수직선을 보고 □ 안에 알맞은 수를 써 봅시다.

$$+ \boxed{1}$$

13　14　15　16

$$14 + \boxed{1} = 15$$

14에 □를 더하면 15입니다. □는 1입니다.

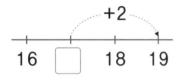

$$\boxed{} + 2 = 19$$

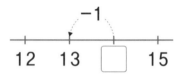

$$\boxed{} - 1 = 13$$

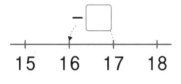

$$17 - \boxed{} = 16$$

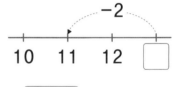

$$\boxed{} - 2 = 11$$

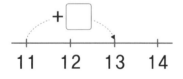

$$11 + \boxed{} = 13$$

$$\boxed{} + 1 = 17$$

$18 - \boxed{} = 16$ $\boxed{} + 1 = 15$ $13 - \boxed{} = 11$

$12 + \boxed{} = 13$ $\boxed{} - 2 = 13$ $14 + \boxed{} = 15$

$19 - \boxed{} = 18$ $\boxed{} + 2 = 18$ $20 - \boxed{} = 19$

$17 + \boxed{} = 19$ $\boxed{} - 1 = 10$ $10 + \boxed{} = 12$

```
    1 3              1 7              1 2
+   [   ]        -   [   ]        +   [   ]
─────────       ─────────        ─────────
    1 5              1 6              1 4
```

```
  [     ]          [     ]          [     ]
-     1          +     2          -     1
─────────       ─────────        ─────────
  1 7              1 6              1 4
```

1   □ 안에 알맞은 수를 쓰고, 같은 것끼리 연결하세요.

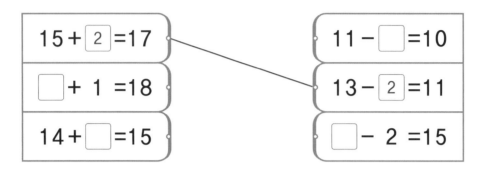

15 + [2] = 17		11 − □ = 10
□ + 1 = 18		13 − [2] = 11
14 + □ = 15		□ − 2 = 15

10 + □ = 12		□ − 1 = 11
16 + □ = 17		15 − □ = 14
□ + 2 = 14		19 − □ = 17

2   가로, 세로 방향으로 덧셈식과 뺄셈식이 성립하도록 빈 곳에 수를 채우세요.

15	−	2	=	
+				+
1				1
=				=
16	−	2	=	

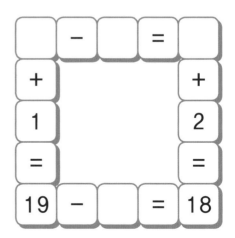

	−		=	
+				+
1				2
=				=
19	−		=	18

3 어떤 수를 구하는 식입니다. 알맞은 식에 ○표 하세요.

어떤 수에 2를 더했더니 15입니다.

$$\boxed{} - 2 = 15 \qquad \boxed{} + 2 = 15 \qquad \boxed{} + 1 = 15 \qquad 15 - \boxed{} = 2$$

13에서 어떤 수를 뺐더니 11입니다.

$$11 + \boxed{} = 13 \qquad \boxed{} - 11 = 13 \qquad 13 - \boxed{} = 11 \qquad \boxed{} - 13 = 11$$

4 어떤 수를 구하세요.

어떤 수에 2를 더했더니 19입니다. 어떤 수는 얼마일까요?

16에서 어떤 수를 뺐더니 15가 되었습니다. 어떤 수는 얼마일까요?

어떤 수에서 2를 뺐더니 14입니다. 어떤 수는 얼마일까요?

합과 차

개념
원리

두 수의 합과 차를 구해 봅시다.

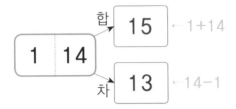

1과 14의 합은 1+14=15이고
1과 14의 차는 14-1=13입니다.
차는 큰 수에서 작은 수를 뺍니다.

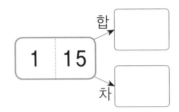

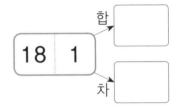

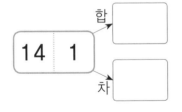

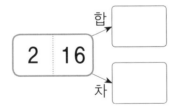

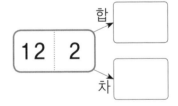

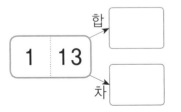

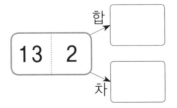

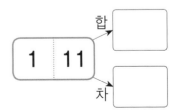

$15 + 1 = \boxed{} - 1$

$\boxed{} + 2 = 17 - 2$

$\boxed{} + 2 = 14 - 2$

$1 + 12 = \boxed{} - 1$

$16 + 1 = \boxed{} - 1$

$\boxed{} + 2 = 18 - 2$

$\boxed{} + 2 = 16 - 2$

$10 + 1 = \boxed{} - 1$

$19 - 1 = \boxed{} + 1$

$\boxed{} + 2 = 19 - 2$

$\boxed{} - 1 = 11 + 1$

$1 + \boxed{} = 14 - 1$

$2 + 11 = \boxed{} - 2$

$\boxed{} - 2 = 13 + 2$

$\boxed{} + 1 = 16 - 2$

$2 + \boxed{} = 19 - 1$

1 왼쪽은 두 수의 합, 오른쪽은 두 수의 차입니다. 두 수를 찾아 모두 ◯표 하세요.

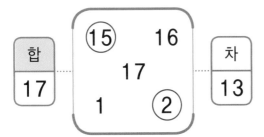

합
17

⑮ 16
17
1 ②

차
13

합
20

17 18
19
1 2

차
18

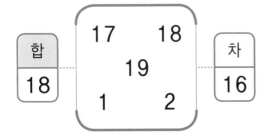

합
18

17 18
19
1 2

차
16

합
14

12 11
13
1 2

차
10

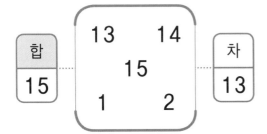

합
15

13 14
15
1 2

차
13

합
18

15 16
17
1 2

차
14

합
13

10 11
12
1 2

차
11

합
17

14 15
16
1 2

차
15

2 다음 두 수의 합과 차를 구하세요.

합: ☐ , 차: ☐

합: ☐ , 차: ☐

3 합이 14인 두 수가 있습니다. 그중 한 수가 1입니다.

나머지 한 수는 얼마일까요?

☐

두 수의 차는 얼마일까요?

☐

4 차가 12인 두 수가 있습니다. 그중 한 수가 2라고 할 때 두 수의 합은 얼마일까요?

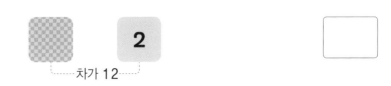

☐

세 수의 계산

세 수의 계산을 해 봅시다.

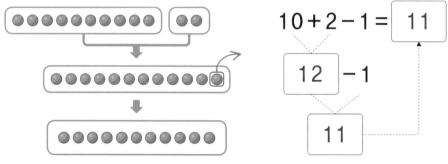

앞의 두 수 **10**과 **2**를 더한 값 **12**에서 마지막 수 **1**을 뺍니다.

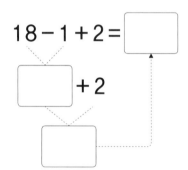

$18 - 1 + 2 =$

$+2$

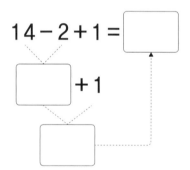

$14 - 2 + 1 =$

$+1$

$13 + 1 - 2 =$

-2

$17 + 1 + 1 =$

$+1$

$10 + 2 + 1 =$ ☐

$15 - 2 - 1 =$ ☐

$14 + 1 - 2 =$ ☐

$17 - 1 + 2 =$ ☐

$12 + 1 + 2 =$ ☐

$13 - 2 - 1 =$ ☐

$19 - 1 - 1 =$ ☐

$18 - 1 + 2 =$ ☐

$2 + 10 + 2 =$ ☐

$2 + 16 - 1 =$ ☐

$17 - 2 + 1 =$ ☐

$12 + 1 - 2 =$ ☐

$2 + 14 - 1 =$ ☐

$2 + 13 + 1 =$ ☐

$15 + 2 + 1 =$ ☐

$17 - 1 - 2 =$ ☐

1 계산 결과에 맞게 길을 그리세요.

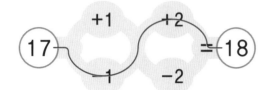

17 +1 +2 = 18
    −1 −2

12 +1 +2 = 11
    −1 −2

14 +1 +2 = 11
    −1 −2

19 +1 +2 = 16
    −1 −2

13 +1 +2 = 16
    −1 −2

15 +1 +2 = 14
    −1 −2

2 1 또는 2를 사용하여 식을 완성하세요. (1을 2번, 2를 2번 사용해도 됩니다.)

$16 + \boxed{} - \boxed{} = 15$

$15 + \boxed{} + \boxed{} = 18$

$12 + \boxed{} + \boxed{} = 16$

$18 - \boxed{} + \boxed{} = 17$

3 수 사이에 **+** 또는 **−**를 넣어 식을 완성하세요.

12 + 1 − 2 = 11   17   2   1 = 16

16   2   2 = 12   11   1   2 = 14

18   2   1 = 15   13   1   2 = 12

4 그림을 보고 식을 완성하세요.

식 ⬜ − ⬜ + ⬜ = ⬜   답 ⬜

식 ⬜ − ⬜ − ⬜ = ⬜   답 ⬜

1 빈칸에 알맞은 수를 쓰세요.

−	1	2
19		
17		
16		

−	1	2
15		
12		
18		

2 그림을 보고 물음에 맞게 식과 답을 쓰세요.

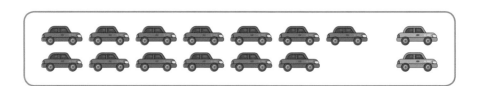

자동차는 모두 몇 대일까요?

식 [ ] + [ ] = [ ]   답 [ ] 대

빨간색 자동차는 초록색 자동차보다 몇 대 더 많을까요?

식 [ ] − [ ] = [ ]   답 [ ] 대

3 ☐ 안에 알맞은 수를 쓰고, 같은 것끼리 연결하세요.

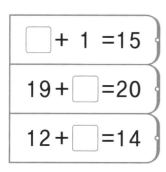

☐ + 1 = 15

19 + ☐ = 20

12 + ☐ = 14

15 − ☐ = 13

☐ − 1 = 13

17 − ☐ = 16

4 왼쪽은 두 수의 합, 오른쪽은 두 수의 차입니다. 두 수를 모두 찾아 ○표 하세요.

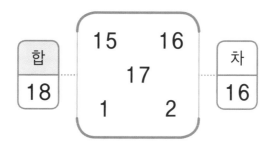

합
18

15   16
    17
1   2

차
16

5 차가 15인 두 수가 있습니다. 한 수가 1이라고 할 때 두 수의 합을 구하세요.

1

차가 15

☐

6 계산을 하세요.

$15 + 1 + 1 =$ ▢ $11 + 2 - 1 =$ ▢

$13 - 2 - 1 =$ ▢ $16 - 1 + 2 =$ ▢

7 계산 결과에 맞게 길을 그리세요.

⑫ $+1 \atop -1$ $+2 \atop -2$ = ⑪   ⑭ $+1 \atop -1$ $+2 \atop -2$ = ⑮

8 그림을 보고 식을 완성하세요.

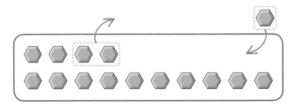

식 ▢ $-$ ▢ $+$ ▢ $=$ ▢   답 ▢

상위권으로 가는 **문제 해결** 연산 학습지

정답

응용
연산

S2
6~7세

20까지의 수에서 더하기, 빼기 1과 2

Creative to Math
씨투엠

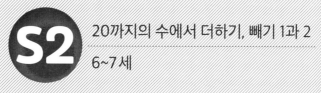

S2

20까지의 수에서 더하기, 빼기 1과 2

6~7 세

정답 맞이 길잡

20까지의 수

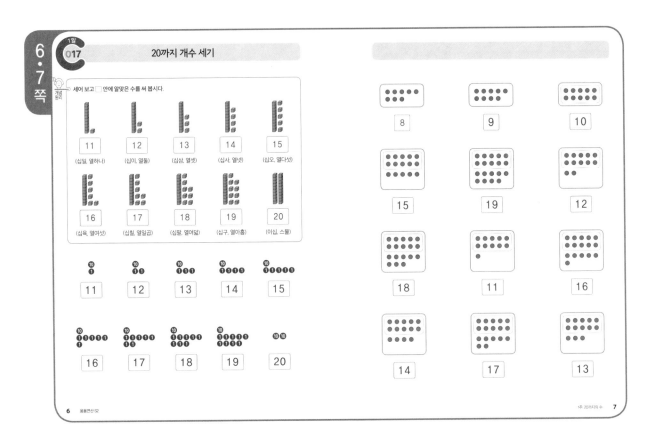

017 20까지 개수 세기

세어 보고 □ 안에 알맞은 수를 써 봅시다.

11	12	13	14	15
(십일, 열하나)	(십이, 열둘)	(십삼, 열셋)	(십사, 열넷)	(십오, 열다섯)

16	17	18	19	20
(십육, 열여섯)	(십칠, 열일곱)	(십팔, 열여덟)	(십구, 열아홉)	(이십, 스물)

11	12	13	14	15

16	17	18	19	20

8	9	10
15	19	12
18	11	16
14	17	13

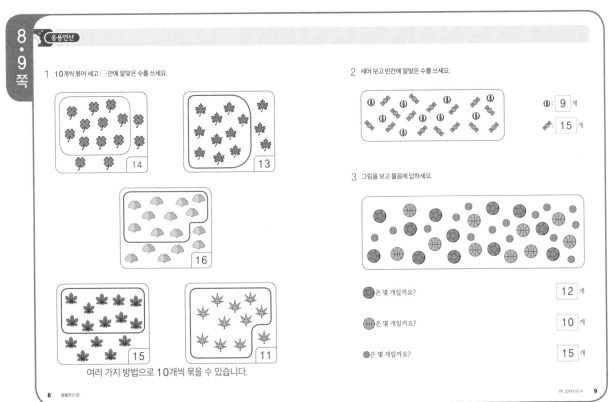

응용연산

1 10개씩 묶어 세고 □ 안에 알맞은 수를 쓰세요.

14	13

16

15	11

여러 가지 방법으로 10개씩 묶을 수 있습니다.

2 세어 보고 빈칸에 알맞은 수를 쓰세요.

🍬 : 9 개

🍬 : 15 개

3 그림을 보고 물음에 답하세요.

⚽은 몇 개일까요? 12 개

🏀은 몇 개일까요? 10 개

●은 몇 개일까요? 15 개

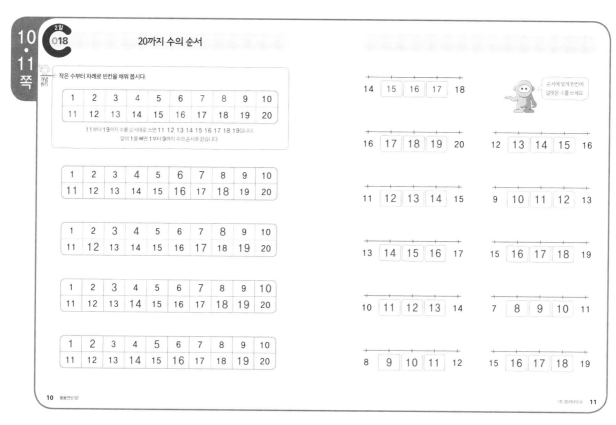

14·15쪽

3일 C 019 2씩 앞으로 뛰어 세기

2씩 앞으로 뛰어 세어 빈칸에 알맞은 수를 써 봅시다.

$1 \rightarrow 3 \rightarrow 5 \rightarrow 7 \rightarrow 9 \rightarrow 11 \rightarrow 13 \rightarrow 15 \rightarrow 17 \rightarrow 19$

1부터 2씩 앞으로 뛰어 세면 1, 3, 5, 7, 9, 11, 13, 15, 17, 19입니다.

$2 \rightarrow 4 \rightarrow 6 \rightarrow 8 \rightarrow 10 \rightarrow 12 \rightarrow 14 \rightarrow 16 \rightarrow 18 \rightarrow 20$

$1 \rightarrow 3 \rightarrow 5 \rightarrow 7 \rightarrow 9 \rightarrow 11 \rightarrow 13 \rightarrow 15 \rightarrow 17 \rightarrow 19$

$2 \rightarrow 4 \rightarrow 6 \rightarrow 8 \rightarrow 10 \rightarrow 12 \rightarrow 14 \rightarrow 16 \rightarrow 18 \rightarrow 20$

$1 \rightarrow 3 \rightarrow 5 \rightarrow 7 \rightarrow 9 \rightarrow 11 \rightarrow 13 \rightarrow 15 \rightarrow 17 \rightarrow 19$

$2 \rightarrow 4 \rightarrow 6 \rightarrow 8 \rightarrow 10 \rightarrow 12 \rightarrow 14 \rightarrow 16 \rightarrow 18 \rightarrow 20$

2씩 앞으로 뛰어 빈칸에 알맞은 수를 쓰세요

7 - 9 - 11 - 13 - 15

10 - 12 - 14 - 16 - 18   5 - 7 - 9 - 11 - 13

11 - 13 - 15 - 17 - 19   4 - 6 - 8 - 10 - 12

2 - 4 - 6 - 8 - 10   9 - 11 - 13 - 15 - 17

7 - 9 - 11 - 13 - 15   6 - 8 - 10 - 12 - 14

8 - 10 - 12 - 14 - 16   11 - 13 - 15 - 17 - 19

16·17쪽

응용연산

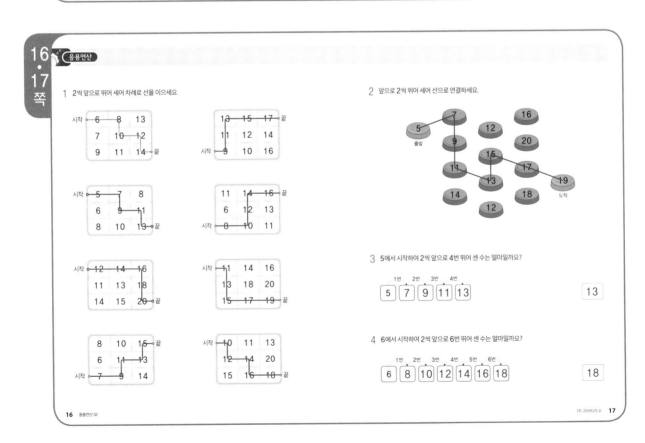

1 2씩 앞으로 뛰어 세어 차례로 선을 이으세요.

2 앞으로 2씩 뛰어 세어 선으로 연결하세요.

3 5에서 시작하여 2씩 앞으로 4번 뛰어 센 수는 얼마일까요?

1번 2번 3번 4번
5 7 9 11 13   13

4 6에서 시작하여 2씩 앞으로 6번 뛰어 센 수는 얼마일까요?

1번 2번 3번 4번 5번 6번
6 8 10 12 14 16 18   18

020 4일 C

1 큰 수, 2 큰 수

1 큰 수, 2 큰 수를 써 봅시다.

13 →1큰수 14 →1큰수 15
2 큰 수

1 큰 수가 두 번이면 2 큰 수가 됩니다.

16 →1큰수 **17** →1큰수 **18**
2 큰 수

15 →1큰수 **16** →1큰수 **17**
2 큰 수

12 →1큰수 **13** →1큰수 **14**
2 큰 수

9 →1큰수 **10** →1큰수 **11**
2 큰 수

10 →1큰수 **11** →1큰수 **12**
2 큰 수

17 →1큰수 **18** →1큰수 **19**
2 큰 수

14 →1큰수 **15** →1큰수 **16**
2 큰 수

18 →1큰수 **19** →1큰수 **20**
2 큰 수

10 → **11**　　12 →→ **14**

→ 1 큰 수
→→ 2 큰 수

16 → **17**　　15 →→ **17**　　17 → **18**

13 →→ **15**　　19 → **20**　　11 →→ **13**

13 → **14**　　14 →→ **16**　　18 → **19**

17 →→ **19**　　12 → **13**　　10 →→ **12**

15 → **16**　　10 →→ **12**　　17 → **18**

응용연산

1 ● 안의 수보다 2 큰 수를 찾아 선으로 연결하세요.

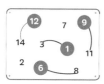
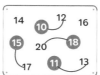

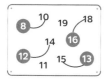
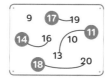

3 준희와 승희의 사물함 번호를 구하세요.

내 사물함 번호는 10보다 1 큰 수야. 준희

준희의 사물함 번호: **11** 번

내 사물함 번호는 15보다 2 큰 수야. 승희

승희의 사물함 번호: **17** 번

4 □ 안에 알맞은 수를 찾아 ○표 하세요.

13보다 2 큰 수는 15입니다.

14 **(15)** 16 17

16보다 2 큰 수는 18입니다.

12 13 **(16)** 17

5 9보다 2 큰 수는 얼마일까요?　　**11**

2 화살표 규칙을 찾아 빈칸에 알맞은 수를 쓰세요.

9 →→ **11** → **12** →→ **14** → **15** →→ **17** → **18** →→ 20

6 →→ **8** → **9** →→ **11** → **12** →→ **14** → **15** → **17**

정답 및 해설　**5**

22·23쪽

형성평가

1 10개씩 묶어 세고 ☐ 안에 알맞은 수를 쓰세요.

15 개

여러 가지 방법으로 10개씩 묶을 수 있습니다.

2 그림을 보고 물음에 답하세요.

◎은 몇 개일까요? 13 개

●은 몇 개일까요? 11 개

3 작은 수부터 차례로 쓴 것입니다. 잘못 들어간 수에 ×표 하세요.

11 12 13 ⊗ 14

16 ⊗ 17 18 19

4 규칙을 찾아 11부터 20까지의 수를 쓰세요.

5 2씩 앞으로 뛰어 세어 차례로 선을 이으세요.

시작 6 8 10
7 10 12
9 13 14 끝

12 15 17 끝
11 13 18
시작 9 14 15

6 3에서 시작하여 2씩 앞으로 6번 뛰어 센 수는 얼마일까요?

1번 2번 3번 4번 5번 6번
3 5 7 9 11 13 15

15

24쪽

7 화살표 규칙에 맞게 1 큰 수, 2 큰 수를 쓰세요.

규칙 → 1 큰 수 ⇒ 2 큰 수

10 → 12   15 → 16
18 → 19   13 ⇒ 15

8 ● 안의 수보다 2 큰 수를 찾아 선으로 연결하세요.

8   9   14
12
10   16   17
11   13
15

9 정호의 사물함 번호는 몇 번일까요?

내 사물함 번호는 13보다 2 큰 수야

정호

정호의 사물함 번호: 15 번

더하기

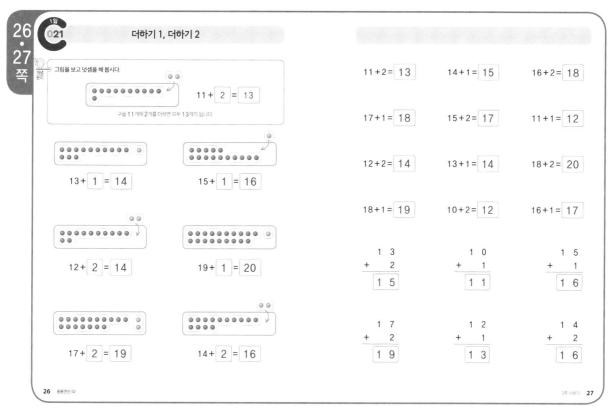

1일
C021 더하기 1, 더하기 2

그림을 보고 덧셈을 해 봅시다.

$11 + \boxed{2} = \boxed{13}$

구슬 11개에 2개를 더하면 모두 13개가 됩니다.

$13 + \boxed{1} = \boxed{14}$

$15 + \boxed{1} = \boxed{16}$

$12 + \boxed{2} = \boxed{14}$

$19 + \boxed{1} = \boxed{20}$

$17 + \boxed{2} = \boxed{19}$

$14 + \boxed{2} = \boxed{16}$

$11 + 2 = \boxed{13}$　　$14 + 1 = \boxed{15}$　　$16 + 2 = \boxed{18}$

$17 + 1 = \boxed{18}$　　$15 + 2 = \boxed{17}$　　$11 + 1 = \boxed{12}$

$12 + 2 = \boxed{14}$　　$13 + 1 = \boxed{14}$　　$18 + 2 = \boxed{20}$

$18 + 1 = \boxed{19}$　　$10 + 2 = \boxed{12}$　　$16 + 1 = \boxed{17}$

$$\begin{array}{r} 1\ 3 \\ +\quad 2 \\ \hline 1\ 5 \end{array}\qquad \begin{array}{r} 1\ 0 \\ +\quad 1 \\ \hline 1\ 1 \end{array}\qquad \begin{array}{r} 1\ 5 \\ +\quad 1 \\ \hline 1\ 6 \end{array}$$

$$\begin{array}{r} 1\ 7 \\ +\quad 2 \\ \hline 1\ 9 \end{array}\qquad \begin{array}{r} 1\ 2 \\ +\quad 1 \\ \hline 1\ 3 \end{array}\qquad \begin{array}{r} 1\ 4 \\ +\quad 2 \\ \hline 1\ 6 \end{array}$$

26 응용연산 S2

2주 더하기 27

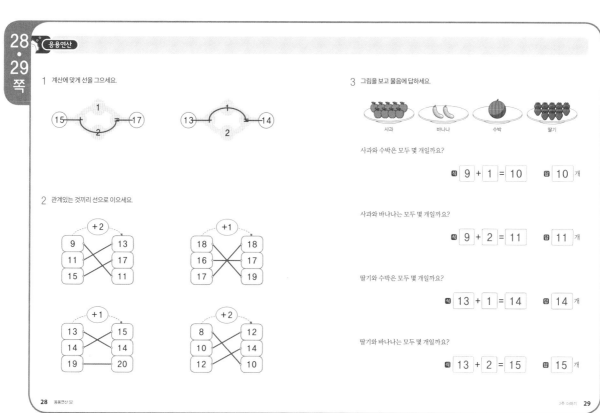

응용연산

1 계산에 맞게 선을 그으세요.

$15 + \frac{1}{2} = 17$　　$13 \frac{1}{2} = 14$

2 관계있는 것끼리 선으로 이으세요.

+2
9 — 13
11 — 17
15 — 11

+1
18 — 18
16 — 17
17 — 19

+1
13 — 15
14 — 14
19 — 20

+2
8 — 12
10 — 14
12 — 10

3 그림을 보고 물음에 답하세요.

사과　바나나　수박　딸기

사과와 수박은 모두 몇 개일까요?

식 $9 + 1 = 10$　답 10 개

사과와 바나나는 모두 몇 개일까요?

식 $9 + 2 = 11$　답 11 개

딸기와 수박은 모두 몇 개일까요?

식 $13 + 1 = 14$　답 14 개

딸기와 바나나는 모두 몇 개일까요?

식 $13 + 2 = 15$　답 15 개

28 응용연산 S2

2주 더하기 29

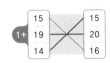

30·31쪽

1 더하기, 2 더하기

두 수를 바꾸어 더해 봅시다.

●●●●●●●●●●● ●●　　11 + 2 = 13

●● ●●●●●●●●●●●　　2 + 11 = 13

11 더하기 2는 2 더하기 11과 같습니다

18+ 1 = 19
1 +18 = 19

13+ 2 = 15
2 +13 = 15

16+ 1 = 17
1 +16 = 17

15+ 2 = 17
2 +15 = 17

12+ 1 = 13
1 +12 = 13

17+ 2 = 19
2 +17 = 19

11+ 1 = 12
1 +11 = 12

14+ 2 = 16
2 +14 = 16

13+ 1 = 14
1 +13 = 14

16+ 1 = 17
1 +16 = 17

13+ 2 = 15
2 +13 = 15

12+ 2 = 14
2 +12 = 14

17+ 1 = 18
1 +17 = 18

14+ 1 = 15
1 +14 = 15

11+ 2 = 13
2 +11 = 13

18+ 2 = 20
2 +18 = 20

15+ 1 = 16
1 +15 = 16

13+ 1 = 14
1 +13 = 14

16+ 2 = 18
2 +16 = 18

32·33쪽

응용연산

1 덧셈에 맞게 선으로 이으세요.

1+ : 15 / 19 / 14 → 15 / 20 / 16

2+ : 11 / 14 / 12 → 16 / 14 / 13

2 두 수의 합이 ○ 안의 수가 되도록 선으로 이으세요.

(11)
10 2 1 12
(14)

(14)
11 13 1 2
(13)

(18)
2 1 13 16
(14)

(16)
1 17 2 14
(18)

3 다음과 같이 주어진 수와 기호를 이용하여 덧셈식 2개를 만드세요.

12 1 13 + =
1+12=13
12+1=13

16 2 18 + =
2+16=18
16+2=18

4 파란색 모자가 1개, 초록색 모자가 12개 있습니다. 모자는 모두 몇 개일까요?

식 1 + 12 = 13   답 13 개

5 빨간색 구슬이 2개, 파란색 구슬이 13개 있습니다. 구슬은 모두 몇 개일까요?

식 2 + 13 = 15   답 15 개

□가 있는 더하기 1, 2

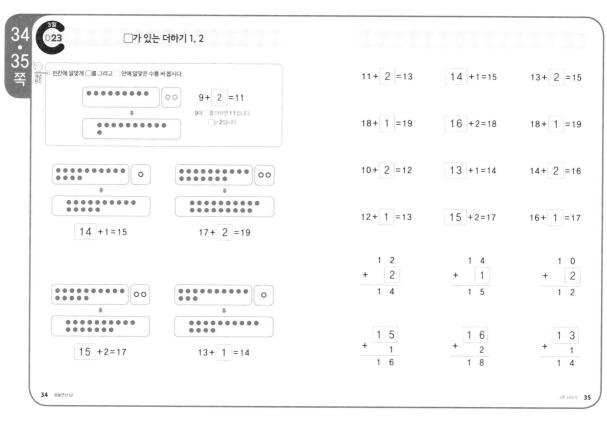

빈칸에 알맞게 ○를 그리고 □ 안에 알맞은 수를 써 봅시다.

$9 + \boxed{2} = 11$

9에 □를 더하면 11입니다.
□는 2입니다.

$\boxed{14} + 1 = 15$

$17 + \boxed{2} = 19$

$\boxed{15} + 2 = 17$

$13 + \boxed{1} = 14$

$11 + \boxed{2} = 13$ $\boxed{14} + 1 = 15$ $13 + \boxed{2} = 15$

$18 + \boxed{1} = 19$ $\boxed{16} + 2 = 18$ $18 + \boxed{1} = 19$

$10 + \boxed{2} = 12$ $\boxed{13} + 1 = 14$ $14 + \boxed{2} = 16$

$12 + \boxed{1} = 13$ $\boxed{15} + 2 = 17$ $16 + \boxed{1} = 17$

$\begin{array}{r} 1\ 2 \\ +\ \boxed{2} \\ \hline 1\ 4 \end{array}$ $\begin{array}{r} 1\ 4 \\ +\ \boxed{1} \\ \hline 1\ 5 \end{array}$ $\begin{array}{r} 1\ 0 \\ +\ \boxed{2} \\ \hline 1\ 2 \end{array}$

$\begin{array}{r} 1\ \boxed{5} \\ +\ \ 1 \\ \hline 1\ 6 \end{array}$ $\begin{array}{r} 1\ \boxed{6} \\ +\ \ 2 \\ \hline 1\ 8 \end{array}$ $\begin{array}{r} 1\ \boxed{3} \\ +\ \ 1 \\ \hline 1\ 4 \end{array}$

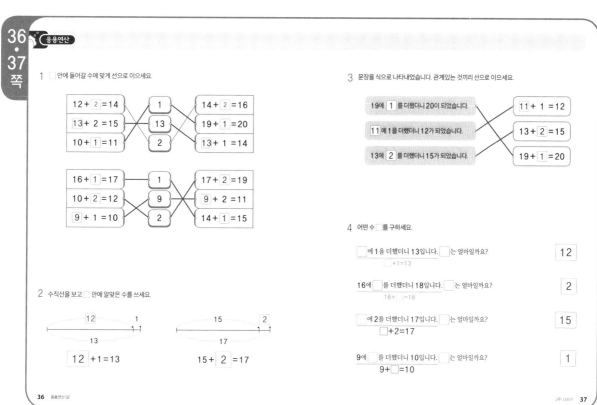

1 □ 안에 들어갈 수에 맞게 선으로 이으세요.

$12 + \boxed{2} = 14$ 1 $14 + \boxed{2} = 16$
$13 + 2 = 15$ 13 $19 + \boxed{1} = 20$
$10 + \boxed{1} = 11$ 2 $13 + 1 = 14$

$16 + \boxed{1} = 17$ 1 $17 + \boxed{2} = 19$
$10 + \boxed{2} = 12$ 9 $9 + 2 = 11$
$9 + 1 = 10$ 2 $14 + \boxed{1} = 15$

2 수직선을 보고 □ 안에 알맞은 수를 쓰세요.

12   1
13

$\boxed{12} + 1 = 13$

15   2
17

$15 + \boxed{2} = 17$

3 문장을 식으로 나타내었습니다. 관계있는 것끼리 선으로 이으세요.

19에 $\boxed{1}$을 더했더니 20이 되었습니다. $11 + \boxed{1} = 12$

11에 1을 더했더니 12가 되었습니다. $13 + \boxed{2} = 15$

13에 $\boxed{2}$를 더했더니 15가 되었습니다. $19 + \boxed{1} = 20$

4 어떤 수 □를 구하세요.

□에 1을 더했더니 13입니다. □는 얼마일까요?   12
□+1=13

16에 □를 더했더니 18입니다. □는 얼마일까요?   2
16+□=18

□에 2를 더했더니 17입니다. □는 얼마일까요?   15
□+2=17

9에 □를 더했더니 10입니다. □는 얼마일까요?   1
9+□=10

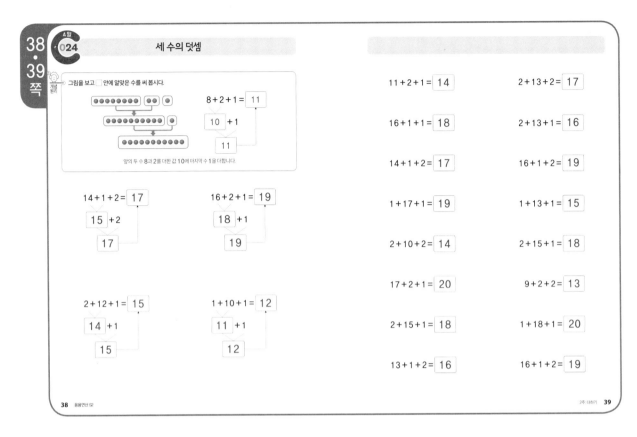

024 세 수의 덧셈

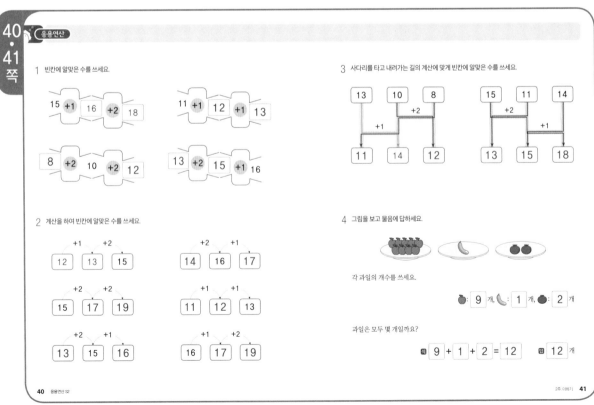

응용연산

형성평가

1 계산에 맞게 선을 그으세요.

$$(11) \overset{1}{\underset{2}{\frown}} (12) \qquad (16) \overset{1}{\underset{2}{\frown}} (18)$$

2 사과와 딸기는 모두 몇 개일까요?

사과   딸기

식 $10 + 2 = 12$ 답 12 개

3 덧셈을 하세요.

$12 + 1 = \boxed{13}$ $15 + 2 = \boxed{17}$
$1 + 12 = \boxed{13}$ $2 + 15 = \boxed{17}$

4 두 수의 합이 ○ 안의 수가 되도록 선으로 이으세요.

(15)
| 2 | 15 | 1 | 14 |
(17)

(19)
| 2 | 1 | 18 | 11 |
(13)

5 흰색 바둑돌이 2개, 검은색 바둑돌이 14개 있습니다. 바둑돌은 모두 몇 개일까요?

식 $2 + 14 = 16$ 답 16 개

6 수직선을 보고 □ 안에 알맞은 수를 쓰세요.

15   1
16

11   2
13

$\boxed{15} + 1 = 16$ $11 + \boxed{2} = 13$

---

7 □에 2를 더했더니 16입니다. □는 얼마일까요?

$\boxed{14}$

□ + 2 = 16

8 계산을 하여 □ 안에 알맞은 수를 쓰세요.

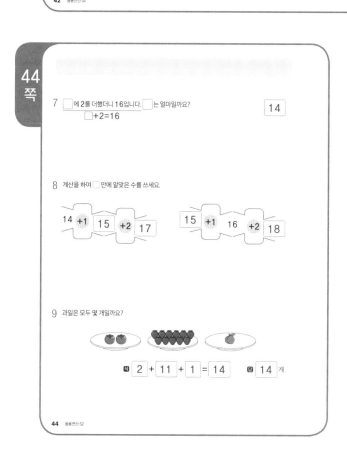

14 +1 15 +2 17   15 +1 16 +2 18

9 과일은 모두 몇 개일까요?

식 $2 + 11 + 1 = 14$ 답 14 개

빼기

C025 2씩 거꾸로 세기

2씩 거꾸로 뛰어 세어 빈칸에 알맞은 수를 써 봅시다.

$20 \rightarrow 18 \rightarrow 16 \rightarrow 14 \rightarrow 12 \rightarrow 10 \rightarrow 8 \rightarrow 6 \rightarrow 4 \rightarrow 2$

20부터 2씩 거꾸로 세면 20, 18, 16, 14, 12, 10, 8, 6, 4, 2입니다

$19 \rightarrow 17 \rightarrow 15 \rightarrow 13 \rightarrow 11 \rightarrow 9 \rightarrow 7 \rightarrow 5 \rightarrow 3 \rightarrow 1$

$20 \rightarrow 18 \rightarrow 16 \rightarrow 14 \rightarrow 12 \rightarrow 10 \rightarrow 8 \rightarrow 6 \rightarrow 4 \rightarrow 2$

$19 \rightarrow 17 \rightarrow 15 \rightarrow 13 \rightarrow 11 \rightarrow 9 \rightarrow 7 \rightarrow 5 \rightarrow 3 \rightarrow 1$

$20 \rightarrow 18 \rightarrow 16 \rightarrow 14 \rightarrow 12 \rightarrow 10 \rightarrow 8 \rightarrow 6 \rightarrow 4 \rightarrow 2$

$19 \rightarrow 17 \rightarrow 15 \rightarrow 13 \rightarrow 11 \rightarrow 9 \rightarrow 7 \rightarrow 5 \rightarrow 3 \rightarrow 1$

2씩 거꾸로 세어 빈칸에 알맞은 수를 쓰세요.

$17 - 15 - 13 - 11 - 9$

$16 - 14 - 12 - 10 - 8$ $13 - 11 - 9 - 7 - 5$

$19 - 17 - 15 - 13 - 11$ $12 - 10 - 8 - 6 - 4$

$18 - 16 - 14 - 12 - 10$ $11 - 9 - 7 - 5 - 3$

$10 - 8 - 6 - 4 - 2$ $15 - 13 - 11 - 9 - 7$

$19 - 17 - 15 - 13 - 11$ $14 - 12 - 10 - 8 - 6$

응용연산

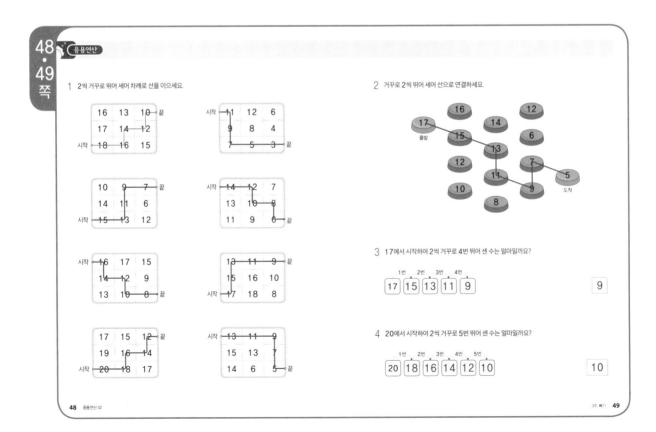

1 2씩 거꾸로 뛰어 세어 차례로 선을 이으세요.

2 거꾸로 2씩 뛰어 세어 선으로 연결하세요.

3 17에서 시작하여 2씩 거꾸로 4번 뛰어 센 수는 얼마일까요?

$17 \quad 15 \quad 13 \quad 11 \quad 9$
1번 2번 3번 4번

9

4 20에서 시작하여 2씩 거꾸로 5번 뛰어 센 수는 얼마일까요?

$20 \quad 18 \quad 16 \quad 14 \quad 12 \quad 10$
1번 2번 3번 4번 5번

10

026 1 작은 수, 2 작은 수

개념원리

1 작은 수, 2 작은 수를 써 봅시다.

13 ←1 작은 수— 14 ←1 작은 수— 15

2 작은 수

1 작은 수가 두 번이면 2 작은 수가 됩니다.

11 ←1작은 수— 12 ←1작은 수— 13
2 작은 수

14 ←1작은 수— 15 ←1작은 수— 16
2 작은 수

8 ←1작은 수— 9 ←1작은 수— 10
2 작은 수

10 ←1작은 수— 11 ←1작은 수— 12
2 작은 수

15 ←1작은 수— 16 ←1작은 수— 17
2 작은 수

9 ←1작은 수— 10 ←1작은 수— 11
2 작은 수

12 ←1작은 수— 13 ←1작은 수— 14
2 작은 수

17 ←1작은 수— 18 ←1작은 수— 19
2 작은 수

14 ← 15   17 ←← 19   ← 1 작은 수   ←← 2 작은 수

16 ← 18   11 ← 12   17 ← 19

19 ← 20   15 ← 17   13 ← 14

9 ← 11   18 ← 19   8 ← 10

16 ← 17   10 ← 12   17 ← 18

13 ← 15   12 ← 13   18 ←← 20

응용연산

1 ● 안의 수보다 2 작은 수를 찾아 선으로 연결하세요.

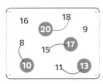

3 형철이의 사물함 번호는 16번입니다. 수영이와 정호의 사물함 번호를 구하세요.

수영   형철이 번호보다 2 작은 수야.
수영이의 사물함 번호: 14 번

정호   형철이 번호보다 1 작은 수야.
정호의 사물함 번호: 15 번

4 □안에 알맞은 수를 찾아 ○표 하세요.

17보다 1 작은 수는 16입니다.   14 15 (16) 17

14보다 2 작은 수는 12입니다.   13 (14) 15 16

2 화살표 규칙을 찾아 빈칸에 알맞은 수를 쓰세요.

8 ← 10 ← 11 ←← 13 ← 14 ← 16 ← 17 ←← 19

7 ← 9 ← 10 ←← 12 ← 13 ← 15 ← 16 ←← 18

5 어떤 수보다 2 작은 수는 16입니다. 어떤 수는 얼마일까요?   18

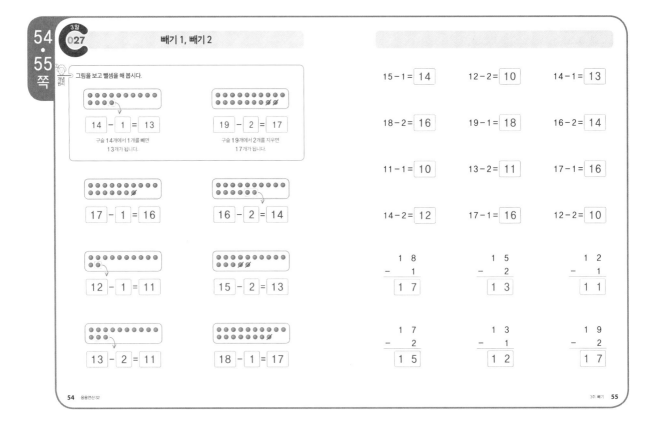

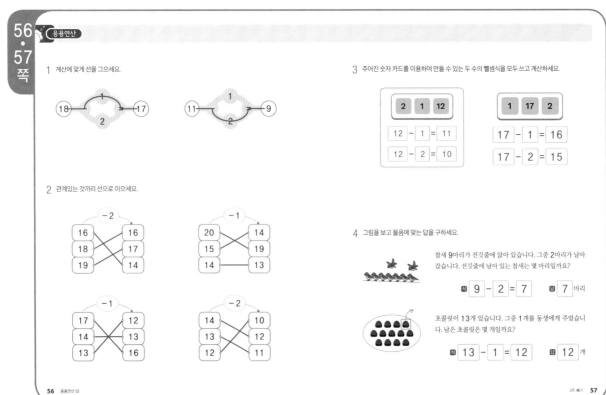

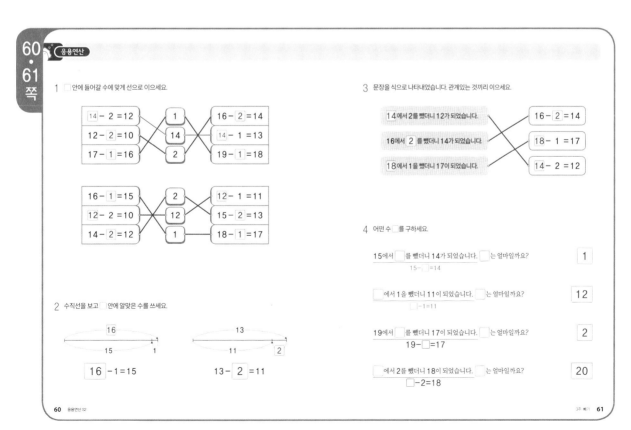

4일 028 □가 있는 빼기 1, 2

그림을 보고, □ 안에 알맞은 수를 써 봅시다.

13 − 1 = 12

□에서 1을 빼면 12입니다.
□는 13입니다.

15 − 1 = 14

12 − 2 = 10

18 − 2 = 16

19 − 2 = 17

14 − 2 = 12

17 − 1 = 16

13 − 2 = 11   17 − 1 = 16   19 − 2 = 17

15 − 1 = 14   14 − 2 = 12   11 − 1 = 10

19 − 2 = 17   12 − 1 = 11   17 − 2 = 15

16 − 1 = 15   18 − 2 = 16   13 − 1 = 12

```
  1 2        1 9        1 5
-   2      -   1      -   2
  1 0        1 8        1 3
```

```
  1 3        1 8        1 1
-   1      -   2      -   1
  1 2        1 6        1 0
```

응용연산

1 □ 안에 들어갈 수에 맞게 선으로 이으세요.

14 − 2 = 12   1   16 − 2 = 14
12 − 2 = 10   14   14 − 1 = 13
17 − 1 = 16   2   19 − 1 = 18

16 − 1 = 15   2   12 − 1 = 11
12 − 2 = 10   12   15 − 2 = 13
14 − 2 = 12   1   18 − 1 = 17

2 수직선을 보고 □ 안에 알맞은 수를 쓰세요.

16
15   1

16 − 1 = 15

13
11   2

13 − 2 = 11

3 문장을 식으로 나타내었습니다. 관계있는 것끼리 이으세요.

14에서 2를 뺐더니 12가 되었습니다.   16 − 2 = 14

16에서 2 를 뺐더니 14가 되었습니다.   18 − 1 = 17

18에서 1을 뺐더니 17이 되었습니다.   14 − 2 = 12

4 어떤 수 □를 구하세요.

15에서 □를 뺐더니 14가 되었습니다. □는 얼마일까요?   1
15 − □ = 14

□에서 1을 뺐더니 11이 되었습니다. □는 얼마일까요?   12
□ − 1 = 11

19에서 □를 뺐더니 17이 되었습니다. □는 얼마일까요?   2
19 − □ = 17

□에서 2를 뺐더니 18이 되었습니다. □는 얼마일까요?   20
□ − 2 = 18

정답 및 해설

62·63쪽 5일 형성평가

1 2씩 거꾸로 뛰어 세어 차례로 선을 이으세요.

2 20에서 시작하여 2씩 거꾸로 6번 뛰어 센 수는 얼마일까요?

1번 2번 3번 4번 5번 6번
20 18 16 14 12 10 8

8

3 화살표 규칙에 맞게 1 작은 수, 2 작은 수를 쓰세요.

규칙 ← ···· 1 작은 수
     ← ···· 2 작은 수

16 ← 17   17 ← 19

13 ← 15   11 ← 12

4 ● 안의 수보다 2 작은 수를 찾아 선으로 연결하세요.

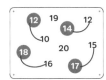

5 정호의 출석 번호는 15번입니다. 슬기의 출석 번호를 구하세요.

정호 번호보다 2 작은 수야

슬기

슬기의 출석 번호: 13 번

6 계산에 맞게 선을 그으세요.

64쪽

7 쿠키가 17개 있었습니다. 그중 2개를 동생에게 주었습니다. 남은 쿠키는 몇 개일까요?

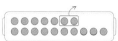

식 17 - 2 = 15   답 15 개

8 ☐ 안에 들어갈 수에 맞게 선으로 이으세요.

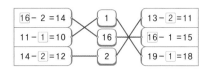

16 - 2 = 14   1   13 - 2 = 11
11 - 1 = 10   16   16 - 1 = 15
14 - 2 = 12   2   19 - 1 = 18

9 ☐에서 1을 뺐더니 14입니다. ☐는 얼마일까요?

☐ - 1 = 14

15

더하기와 빼기

029 더하기와 빼기 1, 2

1 큰 수, 2 큰 수, 1 작은 수, 2 작은 수를 쓰고 더하기, 빼기를 해 봅시다.

9 — 10 — (11) — 12 — 13
2 작은 수 · 1 작은 수 · 1 큰 수 · 2 큰 수

$11-2=$ 9 $11+1=$ 12
$11-1=$ 10 $11+2=$ 13

빼기 2는 2 작은 수, 빼기 1은 1 작은 수, 더하기 1은 1 큰 수, 더하기 2는 2 큰 수와 같습니다.

13 — 14 — (15) — 16 — 17
2 작은 수 · 1 작은 수 · 1 큰 수 · 2 큰 수

$15-2=$ 13 $15+1=$ 16
$15-1=$ 14 $15+2=$ 17

16 — 17 — (18) — 19 — 20
2 작은 수 · 1 작은 수 · 1 큰 수 · 2 큰 수

$18-2=$ 16 $18+1=$ 19
$18-1=$ 17 $18+2=$ 20

$18+1=$ 19 $19-2=$ 17 $12+1=$ 13

$17-1=$ 16 $13+2=$ 15 $18-1=$ 17

$12+2=$ 14 $14-1=$ 13 $17+2=$ 19

$15-2=$ 13 $16+1=$ 17 $12-2=$ 10

```
  1 1        1 7        1 5
+   1      -   2      +   1
─────      ─────      ─────
  1 2        1 5        1 6
```

```
  1 6        1 4        1 2
+   2      -   1      +   2
─────      ─────      ─────
  1 8        1 3        1 4
```

응용연산

1 계산 결과가 같은 것끼리 선으로 이으세요.

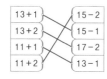

13+1 — 15-2
13+2 — 15-1
11+1 — 17-2
11+2 — 13-1

12+2 — 17-1
15+1 — 20-2
17+1 — 16-2
15+2 — 18-1

2 빈칸에 알맞은 수를 쓰세요.

+	1	2
18	19	20
15	16	17
12	13	14

−	1	2
13	12	11
19	18	17
16	15	14

−	1	2
17	16	15
18	17	16
14	13	12

+	1	2
10	11	12
11	12	13
17	18	19

3 물음에 맞게 알맞은 식에 ○표 하세요.

먹고 남은 아이스크림은 몇 개일까요?

| 8+2=10 | (10-2=8) | 10+2=12 | 8-2=6 |

풍선은 모두 몇 개일까요?

| 11-2=9 | 9+1=10 | 9-2=7 | (9+2=11) |

4 구슬이 7개 있었습니다. 그중 2개를 동생에게 주었습니다. 남은 구슬은 몇 개일까요?

식 7 - 2 = 5 답 5 개

5 오리가 11마리, 닭이 2마리 있습니다. 오리와 닭은 모두 몇 마리일까요?

식 11 + 2 = 13 답 13 마리

70·71쪽

2일 C 030 □가 있는 더하기와 빼기 1, 2

수직선을 보고 □ 안에 알맞은 수를 써 봅시다.

$$+ \boxed{1}$$
13 14 15 16

$14 + \boxed{1} = 15$

14에 □를 더하면 15입니다. □는 1입니다.

$$+2$$
16 $\boxed{17}$ 18 19

$\boxed{17} + 2 = 19$

$$-1$$
12 13 $\boxed{14}$ 15

$\boxed{14} - 1 = 13$

$$- \boxed{1}$$
15 16 17 18

$17 - \boxed{1} = 16$

$$-2$$
10 11 12 $\boxed{13}$

$\boxed{13} - 2 = 11$

$$+ \boxed{2}$$
11 12 13 14

$11 + \boxed{2} = 13$

$$+1$$
14 15 $\boxed{16}$ 17

$\boxed{16} + 1 = 17$

$18 - \boxed{2} = 16$　$\boxed{14} + 1 = 15$　$13 - \boxed{2} = 11$

$12 + \boxed{1} = 13$　$\boxed{15} - 2 = 13$　$14 + \boxed{1} = 15$

$19 - \boxed{1} = 18$　$\boxed{16} + 2 = 18$　$20 - \boxed{1} = 19$

$17 + \boxed{2} = 19$　$\boxed{11} - 1 = 10$　$10 + \boxed{2} = 12$

$$\begin{array}{r} 1\ 3 \\ + \boxed{2} \\ \hline 1\ 5 \end{array} \qquad \begin{array}{r} 1\ 7 \\ - \boxed{1} \\ \hline 1\ 6 \end{array} \qquad \begin{array}{r} 1\ 2 \\ + \boxed{2} \\ \hline 1\ 4 \end{array}$$

$$\begin{array}{r} 1\ 8 \\ - \boxed{1} \\ \hline 1\ 7 \end{array} \qquad \begin{array}{r} 1\ 4 \\ + \boxed{2} \\ \hline 1\ 6 \end{array} \qquad \begin{array}{r} 1\ 5 \\ - \boxed{1} \\ \hline 1\ 4 \end{array}$$

72·73쪽

응용연산

1 □ 안에 알맞은 수를 쓰고, 같은 것끼리 연결하세요.

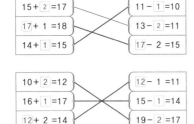

$15 + \boxed{2} = 17$
$17 + 1 = 18$
$14 + \boxed{1} = 15$

$11 - \boxed{1} = 10$
$13 - \boxed{2} = 11$
$17 - 2 = 15$

$10 + \boxed{2} = 12$
$16 + 1 = 17$
$12 + 2 = 14$

$12 - 1 = 11$
$15 - \boxed{1} = 14$
$19 - \boxed{2} = 17$

2 가로, 세로 방향으로 덧셈식과 뺄셈식이 성립하도록 빈 곳에 수를 채우세요.

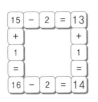

15	−	2	=	13
+				+
1				1
=				=
16	−	2	=	14

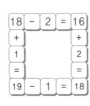

18	−	2	=	16
+				+
1				2
=				=
19	−	1	=	18

3 어떤 수를 구하는 식입니다. 알맞은 식에 ○표 하세요.

어떤 수에 2를 더했더니 15입니다.

$\boxed{} - 2 = 15$　$\boxed{\boxed{} + 2 = 15}$　$\boxed{} + 1 = 15$　$15 - \boxed{} = 2$

13에서 어떤 수를 뺐더니 11입니다.

$11 + \boxed{} = 13$　$\boxed{} - 11 = 13$　$\boxed{13 - \boxed{} = 11}$　$\boxed{} - 13 = 11$

4 어떤 수를 구하세요.

어떤 수에 2를 더했더니 19입니다. 어떤 수는 얼마일까요?
$\boxed{} + 2 = 19$　　**17**

16에서 어떤 수를 뺐더니 15가 되었습니다. 어떤 수는 얼마일까요?
$16 - \boxed{} = 15$　　**1**

어떤 수에서 2를 뺐더니 14입니다. 어떤 수는 얼마일까요?
$\boxed{} - 2 = 14$　　**16**

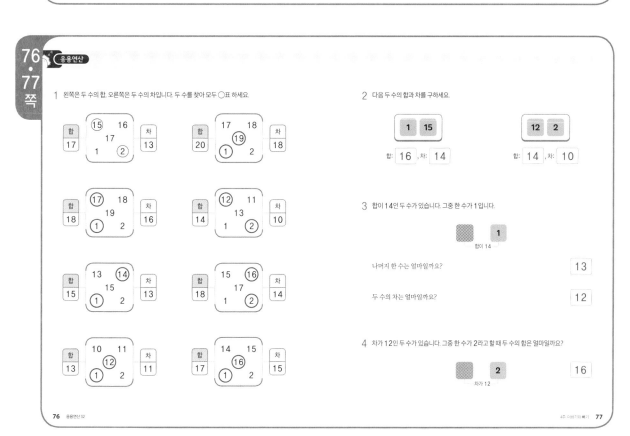

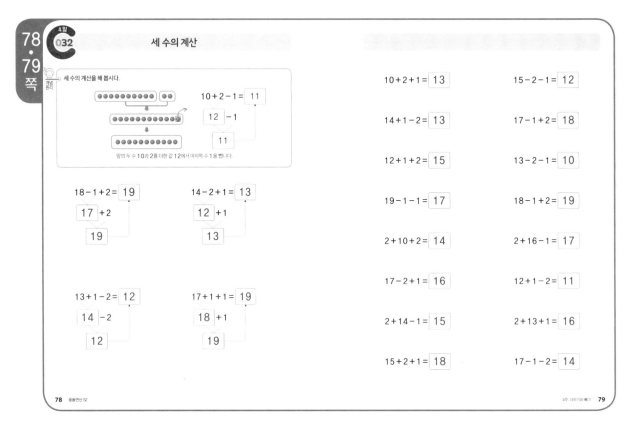

세 수의 계산

세 수의 계산을 해 봅시다.

$10+2-1=$ 11

12 -1

11

앞의 두 수 10과 2를 더한 값 12에서 마지막 수 1을 뺍니다.

$18-1+2=$ 19

17 $+2$

19

$14-2+1=$ 13

12 $+1$

13

$13+1-2=$ 12

14 -2

12

$17+1+1=$ 19

18 $+1$

19

$10+2+1=$ 13 $15-2-1=$ 12

$14+1-2=$ 13 $17-1+2=$ 18

$12+1+2=$ 15 $13-2-1=$ 10

$19-1-1=$ 17 $18-1+2=$ 19

$2+10+2=$ 14 $2+16-1=$ 17

$17-2+1=$ 16 $12+1-2=$ 11

$2+14-1=$ 15 $2+13+1=$ 16

$15+2+1=$ 18 $17-1-2=$ 14

응용연산

1 계산 결과에 맞게 길을 그리세요.

17 $+1$ $+2$ -1 -2 = 18

12 $+1$ $+2$ -1 -2 = 11

14 $+1$ $+2$ -1 -1 = 11

19 $+1$ $+2$ -1 -2 = 16

13 $+1$ $+2$ -1 -2 = 16

15 $+1$ $+2$ -1 -2 = 14

3 수 사이에 + 또는 −를 넣어 식을 완성하세요.

$12 + 1 - 2 = 11$ $17 - 2 + 1 = 16$

$16 - 2 - 2 = 12$ $11 + 1 + 2 = 14$

$18 - 2 - 1 = 15$ $13 + 1 - 2 = 12$

4 그림을 보고 식을 완성하세요.

예 $12 - 1 + 2 = 13$ 답 13

예 $18 - 2 - 1 = 15$ 답 15

또는 18−1−2=15

2 1 또는 2를 사용하여 식을 완성하세요. (1을 2번, 2를 2번 사용해도 됩니다.)

$16+$ 1 $-$ 2 $=15$ $15+$ 1 $+$ 2 $=18$

또는 15+2+1=18

$12+$ 2 $+$ 2 $=16$ $18-$ 2 $+$ 1 $=17$

형성평가

1 빈칸에 알맞은 수를 쓰세요.

−	1	2
19	18	17
17	16	15
16	15	14

−	1	2
15	14	13
12	11	10
18	17	16

2 그림을 보고 물음에 맞게 식과 답을 쓰세요.

자동차는 모두 몇 대일까요?

식 13 + 2 = 15   답 15 대

빨간색 자동차는 초록색 자동차보다 몇 대 더 많을까요?

식 13 − 2 = 11   답 11 대

3 □ 안에 알맞은 수를 쓰고, 같은 것끼리 연결하세요.

14 + 1 = 15
19 + 1 = 20
12 + 2 = 14

15 − 2 = 13
14 − 1 = 13
17 − 1 = 16

4 왼쪽은 두 수의 합, 오른쪽은 두 수의 차입니다. 두 수를 모두 찾아 ○표 하세요.

합 18   15 16   차 16
⑰
① 2

5 차가 15인 두 수가 있습니다. 한 수가 1이라고 할 때 두 수의 합을 구하세요.

차가 15   1   17

6 계산을 하세요.

15 + 1 + 1 = 17   11 + 2 − 1 = 12

13 − 2 − 1 = 10   16 − 1 + 2 = 17

7 계산 결과에 맞게 길을 그리세요.

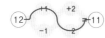
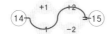

8 그림을 보고 식을 완성하세요.

식 14 − 2 + 1 = 13   답 13

Numbers rule the universe.

"수가 우주를 지배한다"

Pythagoras, 피타고라스

공간감각을 위한 하루10분 도형학습지

플라토

플라토는 체계적이고 효과적으로 도형을 학습합니다.

- 매일 부담없는 2페이지 10분 학습
- 매주 5일간 유형 연습 (5일차는 중요 유형 확인 학습)
- 권당 진단평가 5회

유초등 교과 과정의 핵심적인 도형원리를 각 학년에 맞게 4개의 학습영역으로
나누어 과학적이고 체계적으로 설계된 새로운 패러다임의 도형 전문 학습지입니다.

플라토 S시리즈 대상:6세

	S1. 평면규칙	S2. 도형조작	S3. 입체설계	S4. 공간지각
1주차	점과 선	길이 비교	입체 모양 관찰	잘라내기
2주차	똑같은 모양	모양 붙이기	블록 모양 만들기	종이 접기
3주차	도형 세기	모양 자르기	쌓기나무	투명 종이 겹치기
4주차	도형 규칙	거울과 위치	입체도형 세기	모양 겹치기

플라토 P시리즈 대상:7세

	P1. 평면규칙	P2. 도형조작	P3. 입체설계	P4. 공간지각
1주차	도형 그리기	같은 길이	입체도형 관찰	구멍난 종이
2주차	같은 도형	세모 붙이기	블록 모양 만들기	종이 접기
3주차	도형 세기	네모 붙이기	쌓기나무	여러 방향 관찰
4주차	도형 규칙	거울에 비친 도형	층층 쌓기	도형 겹치기

플라토 A시리즈 대상:초1

	A1. 평면규칙	A2. 도형조작	A3. 입체설계	A4. 공간지각
1주차	점과 선의 수	넓이 비교	입체도형 연구	구멍난 종이
2주차	여러 가지 도형	패턴블록	여러 가지 입체	접고 잘라내기
3주차	도형 세기	도형 돌리기	쌓기나무 세기	여러 방향 관찰
4주차	도형 규칙	모양 만들기	입체도형 추리	겹친 실루엣

플라토 B시리즈 대상:초2

	B1. 평면규칙	B2. 도형조작	B3. 입체설계	B4. 공간지각
1주차	원과 다각형	길이 재기	입체도형 연구	색종이 공예
2주차	도형 그리기	칠교판	본뜬 모양	여러 방향 쌓기
3주차	도형 세기	길이의 합과 차	쌓기나무 발자국	투명 종이 겹치기
4주차	점판 그리기	모양 만들기	쌓기나무 세기	그림자 추리

플라토 C시리즈 대상:초3

	C1. 평면규칙	C2. 도형조작	C3. 입체설계	C4. 공간지각
1주차	직선과 각	밀기와 뒤집기	쌓기나무 그리기	색종이 공예
2주차	직각이 있는 도형	돌리기	쌓기나무 세기	구멍난 종이
3주차	도형 그리기	도형의 이동	입체의 부피	여러 방향 관찰
4주차	패턴 무늬	원과 길이	큐브 블록	색종이 겹치기

플라토 D시리즈 대상:초4

	D1. 평면규칙	D2. 도형조작	D3. 입체설계	D4. 공간지각
1주차	각도기와 각	도형의 각	입체 찍기	점의 이동
2주차	삼각형	삼각형의 성질	입체도형 포장	도형과 점의 이동
3주차	수직과 평행	사각형의 성질	쌓기나무 포장	같은 도형, 다른 도형
4주차	다각형	선 긋기와 각	포장 종이 잇기	정다각형을 붙인 도형

플라토 E시리즈 대상:초5

	E1. 평면규칙	E2. 도형조작	E3. 입체설계	E4. 공간지각
1주차	다각형의 둘레	직사각형의 넓이	직육면체	점의 이동
2주차	합동	평행사변형, 삼각형의 넓이	직육면체의 전개도	도형과 점의 이동
3주차	선대칭	사다리꼴, 마름모의 넓이	전개도 그리기	주사위
4주차	점대칭	다각형의 넓이	전개도와 대각선	뚜껑이 없는 상자

플라토 F시리즈 대상:초6

	F1. 평면규칙	F2. 도형조작	F3. 입체설계	F4. 공간지각
1주차	원주와 원주율	직육면체의 겉넓이	각기둥	쌓기나무의 수
2주차	원을 이용한 길이	직육면체의 부피 1	각뿔	위, 앞, 옆 모양
3주차	원의 넓이	직육면체의 부피 2	전개도	위, 앞, 옆과 수
4주차	원을 이용한 넓이	원기둥의 겉넓이와 부피	원기둥, 원뿔, 구	큐브 연결

> **"**
>
> # Numbers rule the universe.
>
> **"**

"수가 우주를 지배한다"

Pythagoras, 피타고라스

모델명 : 씨투엠 응용연산

제조년월 : 초판 3쇄 2020년 8월

제조자명 : ㈜씨투엠에듀   **발행인** : 한헌조

주소 및 전화번호 : 경기도 수원시 장안구 파장로 7(태영빌딩 3층) / 031-548-1191

제조국명 : 한국

사용연령 : 만 5세 이상

씨투엠 응용연산 S2

홈페이지 : www.c2medu.co.kr

지원카페 : cafe.naver.com/fieldsm

값 8,000원

64410

9 791162 290477

ISBN 979-11-6229-047-7